DESIRÉE
a sexóloga que não sabia amar

Fernando Vîta

Desirée
a sexóloga que não sabia amar

Uma hilariante história de
rufiões, garanhões, putanheiros, sacanas
e mentirosos de modo geral

GERAÇÃO

Copyright © by Fernando Vita
1ª edição – Outubro de 2021

Grafia atualizada segundo o Acordo Ortográfico da Língua Portuguesa
de 1990, que entrou em vigor no Brasil em 2009.

Editor e Publisher
Luiz Fernando Emediato

Diretora Editorial
Fernanda Emediato

Capa, Projeto Gráfico e Diagramação
Alan Maia

Preparação
Josias de Andrade

Dados Internacionais de Catalogação na Publicação (CIP)
de acordo com ISBD

V835d Vita, Fernando
Desirée, a sexóloga que não sabia amar/
Fernando Vita. - São Paulo : Jardim dos Livros, 2021.
216 p. ;15,6cm x 23cm.

ISBN: 978-65-5647-026-9

1. Literatura brasileira. I. Título.

CDD 869.8992
2021-2859   CDU 821.134.3(81)

Elaborado por Odilio Hilario Moreira Junior - CRB-8/9949

Índices para catálogo sistemático
1. Literatura brasileira 869.8992
2. Literatura brasileira 821.134.3(81)

GERAÇÃO EDITORIAL
Rua João Pereira, 81 – Lapa
CEP: 05074-070 – São Paulo – SP
Telefone: +55 11 3256-4444
E-mail: geracaoeditorial@geracaoeditorial.com.br
www.geracaoeditorial.com.br

Impresso no Brasil
Printed in Brazil

Em memória de Ricardo Heleno de Paternostro,
morto para poucos, ainda vivo na lembrança de
muitos, que me apresentou, com enlevo e picardia, à
inacreditável Desirée D'Anunciação dos Prazeres.

Para Demóstenes Teixeira, jornalista e sergipano, em
quem fartam o sergipano e o jornalista.

Para as minhas três mulheres: Gal, Fernanda e Taís.

Para Marcos Vita, saudade que não passa, outras
histórias que não lhe contei.

... entretanto, em Todavia a chegada do trem do dia com a locomotiva a apitar silvante, rolos de fumaça subindo aos céus em variáveis de cor, em sendo ela clara, levemente acinzentada, a cabeça da composição, dúvidas não restavam, era movida a vapor de fogo de lenha; tendendo para tons mais escuros, a óleo diesel; engenhos movidos a eletricidade, não os tinha e jamais os teve a mais que centenária Estrada de Ferro Nazaré, e o certo e comprovado de forma tão exata como o amanhã vem depois do hoje e a noite na sequência do dia é que a chegada do trem diário da assim dita EFN era o que de mais novidadeiro Todavia tinha a oferecer aos seus pouco mais que dez mil habitantes, uma gente sem muita serventia, enclausurada naquele esconso e dessaborado canto de mundo, a parir ferinas cartas anônimas uns para os outros, a rezar em longas missas, a cantar em piegas procissões e a seguir enterros, em passos de dobros de sinos, com falsos pesares e lágrimas de fancaria, não necessária e obrigatoriamente nessa ordem, a cor da fumaça, o número que a máquina ostentava, em cilindro metálico rubro afixado logo à testeira da caldeira, — e quem seria, agora, o seu maquinista? Silvério Surdo ou Heliodoro Gago, Félix Manco ou Estêvão Caolho? — também ensejavam tertúlias animadas, se buscava se lhes adivinhar, de tais lendários ferroviários, a graça de batismo e a alcunha do vulgo antes mesmo da parada do comboio na estação, pela modulação e efusividade do jeito peculiar de apitar de cada um deles, avisando da iminente chegada, se no horário aprazado ela se daria não rendia assunto, os nossos trens não o cumpriam nunca, nem para partir em demanda a São Roque do Paraguaçu, com baldeação de vapor da Companhia de Navegação Bahiana para levar os viajantes pela Baía de Todos-os-Santos até a Cidade da Bahia, quem dirá para chegar quando de lá vinham, sol se pondo, quase à tardinha, perto das badaladas dos sinos da matriz à hora do *Angelus*.

De Todavia, a espalhafatosa *via crucis* de locomotiva e vagões serpenteava noite adentro por trevas e trilhos até Jequié, onde ela findava em inexorável fim de linha, parando antes aqui e acolá, mas não convém embarcarmos de corpo e alma nesse trem para não descarrilarmos no enredo do que, certo dia de um incerto e sonolento janeiro, uma segunda-feira tão trivial e calorenta quanto tantas outras, passou a se dar da plataforma da estação ferroviária em diante, sob os céus de Todavia, permitamos que o trem da história siga seu curso e que o seu maquinista de poucas letras não as desperdice atoamente falando do que não carece falar, por desnecessário ser ao melhor desfecho do que ele, ousado por demais e despreocupado por de menos com o juízo dos mal falantes, se propõe a contar do que sabe, sem tirar nem pôr, mesmo que aqui e ali agregue um pitaco novidadeiro qualquer, e quem não o faz, com o respaldo de que quem conta um conto?...

Em Todavia tudo pode acontecer, inclusive nada. E nada é o que mais acontece por aqui!

Salvador França, motorista de caminhão Fenemê cara curta trucado, filósofo em certas ocasiões, que movido a sonhos e aventuras, sumia da nossa urbe por semanas, meses até, sem que ninguém soubesse por onde — ele e o seu Fenemê — andavam.

...contudo, era do feitio deste Salvador França desaparecer no mundo, e ninguém mais o estranhava; ele partia de Todavia sempre num sábado à tarde, no fim da grande feira semanal, com o caminhão atulhado de baganas — jacas, pencas de bananas, sacas de farinha de mandioca, capoeiras de frangos, cachos de mané véio, caixas de rapadura, garrafões de mel de engenho, dornas de cachaça, gaiolões de pássaros de canto e de fala e o que mais lhe coubesse transportar — com destino à feira de Água de Meninos, na Cidade da Bahia, e a partir daí, de frete em frete, ganhava o Brasil, sem destino de parar, sem data aprazada de voltar; consta que vezes muitas, quando ele deu por si, estava aos sopés dos Andes, na Mendoza da Argentina, prestes a cruzar a cordilheira e arriar cargas no Santiago do Chile, e isto ele o fez por algumas vezes, e se não o fez nunca, colhudeiro era ele, até tinha algum respeito dos nossos concidadãos no posto de contumaz mentiroso, ofício que exercia, com certo charme, desde que, pracinha involuntário — sabe-se de certeza certa que tentou amputar o dedo indicador de atirar com arma para não se ver engajado, na marra, no Exército. Faltou-lhe coragem, deveras! — da Força Expedicionária Brasileira, retornou da Segunda Guerra Mundial meio avariado do juízo, contando poucas e boas das suas façanhas, entre as quais a de, sozinho, com Deus por testemunha juramentada, ter dado conta de fazer desviver uma grosa de soldados alemães, a certeiros tiros de fuzil, disparados justamente pelo indicador que, a tentar fugir de ir à guerra, ele não fora macho o suficiente para decepar a canivete Corneta; mais interessante e heroico ainda, neste sucesso, é que na peleja bélica dispunha Salvador, na sua cartucheira, de não mais que uma grosa de balas, de sorte que não houve desperdício de munição pátria no mandar tedescos para o além, tudo isso se deu na Pistoia da Itália; então esse camarada Salvador, quando reaparecia em Todavia, qual filho pródigo, com o seu Fenemê a buzinar alegre, era assunto para prosa em duração de muitos dias e noites, cabendo igualmente a ele notar, anotar e comentar as poucas novidades que eventualmente se dessem em Todavia durante a sua ausência, e foi este assim dito Salvador do Fenemê que, se pondo em frente a uma casa janelada, arejada e com eira e beira, no início da Rua do Espera Negro, tendo à parede uma placa metálica, dourada: **Dra. Desirée D'Anunciação dos Prazeres. Clínica Médica Geral, Psicológica e Sexológica**, foi certeiro no diagnóstico:

> — Agora a coisa vai! O progresso, a cultura e a civilização, enfim, chegaram a Todavia: uma doutora médica para ensinar a gentalha a foder! Uns com o pau, outros com o cu!

E partiu a passos largos em demanda às Quatro Esquinas, ponto de encontro dos que em Todavia apreciam prosar, especialmente quando o assunto da prosa é a vida alheia, e entre os nossos não são poucos estes; Salvador França era apenas mais um na

DESIRÉE
a sexóloga que não sabia amar

multidão, muito embora restringisse suas tertúlias em quantidade de componentes: conversa de um, impossível, porque quem fala sozinho é doido; de dois, tudo bem, é apreciável; de três, vai se levando; mais do que isso, dá licença, vou me picar — anunciava — que aí já é comício!

**Pelo tipo da valise,
eu já distingo o pedigree
do chegante. Pela quantidade
delas, o destamanho da
permanência.**

Chico Vita, ferroviário da EFN
por profissão, bisbilhoteiro por
vocação, corno vez por outra,
chefe da estação de trem, em
vias de merecida aposentadoria
por tempo de serviço.

As duas rampas que começam na plataforma de embarque e desembarque do velho prédio da carcomida estação, e que dão acesso aos viajantes — aos que chegam, às ruas da cidade; aos que partem, aos vagões do trem — têm ambas um mesmo ângulo de declive geometricamente calculado, de forma a permitir que uns e outros, chegantes ou retirantes, por pressa ou por descuido, não se estabanem de bunda no chão de cimento liso na descida ou se esfalfem de cansaço na subida; foi sábia a engenharia então, disso a ela não devemos reclamos; se algum reparo há que se fazer, o seja ao fato de ser a dita garagem por demais farta em metros quadrados, não para a bitola dos trilhos ou dos trens, mas para a da pigmeia cidade; consta dos registros da história que já àquela época, a troco de faz-me rires e propinas, o quase sempiterno prefeito Augusto Magalhães Braga, o tão bem e mal falado AMB, operou um generoso molha-mão aos que então mandavam na ferrovia; desejava ter em Todavia uma estação de trem só inferior em quadrados metros construídos aos da desengonçada nova Igreja Matriz, em cujo altar pontificava a padroeira dos todavienses, Santa Rita dos Impossíveis, que por ser oca e de pau, nada pôde fazer para evitar a esbórnia com a gaita pública, mas, olvidemos, águas passadas não movem moinhos, deixemos moinhos e águas passadas — aqueles, a girar; estas, a correr rumo ao mar — de lado e fiquemos com a filosofia e a lógica do alcaide, antes abundar que faltar, e assim a abundância de paredes, pisos e telhados foi tanta, que até enquanto viva e operante foi a estrada de ferro, podia-se se queixar dos poucos passageiros, nunca de tanta estação de trem, encimada em suas duas testeiras laterais por vistosas letras de concreto traçadas: **Estrada de Ferro Nazaré, Estação Ferroviária de Todavia, 1948**; convém registrar que em ambas as testeiras haviam vistosos e circunféricos relógios, dos que marcam as horas e as anunciam, aos badalos, sejam elas redondas ou não, sendo justo também assentar-se que os públicos roscofes, na maioria dos dias e noites, não se davam a cumprir tais misteres por lhes faltar quem, por dever de ofício, lhes desse a indispensável corda, no caso o Chico, chefe da estação; ora, se este não estava a ligar para os horários de chegada e partida dos comboios, por que haveria de se preocupar com as horas e os badalos dos relógios?

No entanto, naquela segunda-feira, quando a dra. Desirée D'Anunciação dos Prazeres, tendo ao lado o seu bem-apessoado marido, o geólogo Hélio de Almeida dos Prazeres, ambos em trajes de gente da capital, descia a rampa da estação em demanda ao Hotel das Palmeiras, logo ali acerca, seguida por três homens de ganho, tidos por ganhadores, de plaquinhas metálicas — ovais na forma, azuis na cor e numeradas — presas a camisas amolambadas de algodãozinho branco, calças gastas de brim cáqui, pés embalados em toscos tamancos de madeira,

DESIRÉE
a sexóloga que não sabia amar

sobraçando, como se medusas humanas de mil tentáculos fossem, malas e mais malas, os ponteiros dos relógios da gare comandaram os seus badalos por seis vezes, como que replicando o que igualmente o fizeram os sinos da matriz, estes movidos às mãos lerdas de um sacristão de nome Toninho do Padre; era a hora do *Angelus*, era a tarde que finava e uma nova vida profissional que começava para Desirée e Hélio, já mulher e marido de papel passado e públicas proclamas transitadas em igreja fazia coisa de uns dois anos, ainda sem filhos, embora. E como o soar dos badalos dos sinos e dos gongos dos relógios funcionasse como augúrio de uma abertura de cena de opereta, no proscênio imaginário que era a rampa da estação, para tão inusitada chegada, e vendo, em posição privilegiada de plateia de primeira fila, à boca do palco, a fartura e a qualidade das malas do jovem casal, coube ao Chico Vita, chefe da estação, vaticinar:

— Todavia está a receber gente de bem! E que veio para ficar...

Feito o que, foi ao Bar de Tozinho, perto das Quatro Esquinas, em missão de beber umas doses de Orgia, rebatê-las com Brahmas geladas e, antes de se ir para casa ouvir novelas em rádio, espalhar a novidade da chegada do até então desconhecido casal aos parceiros de mesa, copos, tremoços e torresminhos.

Encarregou-se, solícito, Didi do Correio de dar conta ao coletivo etílico de que Desirée e Hélio fariam pouso no Hotel das Palmeiras. E de que ela era médica e de que ele era geólogo.

Fernando Vîta

Estava, como sempre, bem informado, o velho Didi, vez que era ele que recebia, em toques de código Morse, os raros telegramas que chegavam a Todavia, os transcrevia para a linguagem dos comuns, os lacrava e os fazia chegar aos destinatários pelas mãos do estafeta Pinguim, que, por sua vez, ciente dos conteúdos, os repartia em três categorias, mediante a urgência ou a carência de a mensagem telegráfica ser entregue ou não ao seu destinatário: notícia de doença grave, morte ou cobrança de dívida, entrega rápida; nascimento de menino, chegada de visita e similares, com parcimônia na pressa; abraços de aniversário, cumprimentos variados ou pêsames, lixo.

O futuro a Deus pertence. Acontece que Ele, como legítimo dono, vez por outra repassa a sua posse ao Capeta.
E aí é o diabo!

Naldinho Rolete, cantor de bolero em programas de calouros, esforçado barnabé estadual e alto prócer da Sociedade Philarmônica Amantes da Lyra.

O destino, nada mais que ele, foi que trouxe Desirée e Hélio a Todavia; jamais, nunca, em tempo algum havia passado pela cabeça nem de um nem de outro vir sentar praça em tal cu de mundo, tomando-se por mundo a Bahia, e por cu o fato de Todavia distar da capital do estado horas e mais horas puxadas em carro, trem de ferro e vapor de navegação, com direito a tumultuosa e apressada operação de baldeio em Cachoeira, Nazaré das Farinhas ou São Roque do Paraguaçu, sempre se debitando à dependência aos caprichos das marés na Baía de Todos-os-Santos o determinar-se qual entre os três seria o cais de partida do dia, já que o de chegada era uno, o da Companhia de Navegação Bahiana, na beira da Rampa do Mercado, na Praça Cairu, pertinho do Elevador Lacerda; bem mais penosa e aventuresca ainda seria empreitar a jornada inteira pela rodagem de cascalho, em cabine de caminhão, quando não em carrocerias de paus-de-arara, encarando buracos e atoleiros, derrapadas e poeira — sem falar na ladeira tortuosa que desce de Muritiba até ao pé do rio, em São Félix! — que carro próprio quase ninguém o tinha em tais tempos de Dom Corno,

Fernando Vîta

muito menos Desirée e Hélio, ambos recém-formados: ela, em medicina; ele, em geologia, isto já assentamos lá atrás, voltamos a fazê-lo então apenas por capricho, só por desleixo, contudo, não tínhamos assentado que os dois passaram a se gostar ainda estudantes do curso científico, no Colégio Central; quando chegaram às salas das faculdades, na Universidade Federal da Bahia, já usavam alianças de compromisso na mão direita, para os dois, nascidos e criados na Cidade da Bahia, de famílias bem aprumadas na vida, gentes nobres de Barras e Graças, e aí, já casados, foi tudo uma questão de começar a exercer os seus misteres profissionais justo onde outros não havia para os exercer — a médica Desirée, o geólogo Hélio — ela, abrindo consultório com especializações tão únicas em cidade pequena; ele, indo, em atenção a anúncio de recrutamento no vetusto jornal *A Tarde*, ocupar chefia de equipe de peões na Arditi Minérios, uma multinacional de mineração que desde os tempos da Segunda Guerra, e ainda agora, tantos anos já idos, cavuca a bombas de dinamite, pás mecânicas, retroescavadeiras, caçambas gigantescas, trólebus e mão de gente as serras, montes e capoeiras dos arredores de Todavia, a sugar o manganês valioso e farto, tanto o fez, tanto o faz e tanto o fará ainda a operosa Arditi que, hora dessas, tal qual a Itabira de Drummond, Todavia nem mais que um retrato na parede será!

No Hotel das Palmeiras o melhor dos aposentos já estava, bem antes, reservado pela mineradora; ali Desirée e Hélio ficariam, com despesas pagas, até que encontrassem uma casa que lhes conviesse e agradasse, tanto para morar como para abrigar o consultório da facultativa em medicina geral, psicológica e sexológica, feito que não demandou mais que uma semana, logo

DESIRÉE
a sexóloga que não sabia amar

a eira e beira do começo da Rua do Espera Negro foi a escolhida por ser perto do comércio e da estação de trem; da prefeitura e da cadeia; do hospital e do cemitério; próxima também da matriz, da praça da feira e do baldio onde os circos costumavam levantar lonas, de forma que ponto mais estratégico não haveria de haver, até porque em questões de portas abertas de qualquer natureza de negócio, estar à proa ou à popa de onde para o trem é um belo atrativo, o necessitado do que quer que seja que venha de outros cantos que não os da cidade, não importa qual seja ela — Todavia, Nova Iorque, Pilão Arcado, Paris, Tapiramutá ou Madri — economizará pernas e sapatos para achar o que procura, disso sabem todos que têm algo a vender, comprar ou oferecer a troco de dinheiro, com os que cuidam da saúde dos demais não se dá de forma diversa, diversa seria a situação do geólogo Hélio, que desfrutaria da residência apenas para dormir e outros fazeres próprios dos que residem: seu trabalho na Arditi se daria no escritório de campo, lá pras bandas do Taitinga, na área de mineração, na bocada da mina, ao som dos pipocos secos das bananas de dinamite e do subir aos ares e arrear à terra das toneladas de pedras de manganês — grandes, médias e pequenas —, como se as estivessem a manejá-las, em vez das explosões e dos engenhos mecânicos, mãos insanas de milhões de malucos, sabemos todos dos pendores dos parcos de juízo — que dão e sobram em todo o universo, e por aqui dão e sobram mais um pouco! — para o exercício deste apreciado ofício.

Dito e feito, dado o roteiro que até então seguiram em terras de Todavia a doutora Desirée D'Anunciação dos Prazeres e o geólogo Hélio de Almeida dos Prazeres, o futuro a Deus

Fernando Vîta

pertence. E que Ele, por prepotência, pirraça ou birra, não repasse o timão que lhe é de lídimo pertencimento e comando à posse do Capeta, que aí seria o diabo, nada pode fazer nenhum mortal, muito menos este desarrazoado que escreve, para cobrar tenência e bons modos ao futuro, que Deus, seu dono, o faça!

Quanto mais carniça, melhor pros urubus.

Doutor José Antônio Fonseca, até então o único médico de Todavia, ao saber da chegada da doutora Desirée.

Naquele domingo, perto das nove, monsenhor Giuseppe Galvani encerrara a celebração da missa maior do dia e, já na sacristia da Igreja Matriz de Todavia, despojava-se calmamente dos seus paramentos sacros — mozeta, peregrineta, alva, sobrepeliz, casula, manípulo, estola — com a ajuda meio atabalhoada do sacristão, o abestalhado Toninho, dito e sabido Toninho do Padre, justo por dele, Galvani, ser indesejado filho bastardo, fruto de conúbio pretensamente clandestino com uma jovem e cândida beata de nome Augusta das Virgens, quando a doutora Desirée e o geólogo Hélio dele se achegaram, cerimoniosos, para apresentar-se como as duas novéis ovelhas do seu rebanho de aspirantes ao céu, disseram a que vinham residir na cidade, com detalhes de porquês e razões para tanto, falaram da outra paróquia — a de Nossa Senhora da Vitória — a que ambos, cristãos não tão novos, fervorosamente pertenciam quando ainda na Cidade da Bahia, puseram-se às ordens do prelado para o que deles carecessem — óbulos, inclusive — e já se preparavam para beijar-lhe na mão direita o anel de ouro de monsenhor já consagrado, ornado por ametista lilás,

Fernando Vîta

quando o pároco lhes pediu que dessem um tempinho pouco e disse para Toninho, já em tom maior de solene esporro:
"corre ali, seu corno, e vê se ainda pega o Fonseca médico ao
derredor, para que eu lhe apresente a sua colega doutora e o
seu ilustre esposo"; então Toninho do Padre obrou saber do
monsenhor o que era derredor, mas este o chamou de ener-
gúmeno e o mandou tomar no cu, tendo, no entanto, a fineza
de se desculpar em demasia — não muita! — com os novos
paroquianos por não ter mais tolerância com a imbecilidade do
sacristão; rapapés à parte, em breves minutos o até então único
e exclusivo médico da cidade, doutor José Antônio Fonseca,
com a esposa, Cristina, já apresentava armas e boas-vindas
aos recém-chegados da capital, do que se aproveitou o vigário
para, a pretexto de outros inadiáveis compromissos de ofício
a cumprir, escafeder-se por porta de maçaranduba que lhe
dava direto e descomplicado acesso, sem pôr seus santos pés
na rua, à confortável casa paroquial que lhe abrigava; um lauto
e vistoso desjejum já o esperava, de aipim a cuscuz de milho,
de bolo de puba a fatias de parida, ovos estrelados, requeijão e
fruta-pão postos à mesa sobre alva e imaculada toalha de linho
branco por duas simplórias jovens mocinhas da roça; consta
que ele as passava em pica com regular e descompromissada
frequência, pelo menos assim se dizia à boca pequena, não só
em Todavia mas em toda a paróquia; deixemos o monsenhor
a empanturrar-se com ávida gulodice de iguarias, a ouvir o
cantar dos pássaros, que os criava, muitos, a painço, alpiste
e melões de cerca em bem aprumado viveiro, e a distrair-se
com suas cândidas meninas (Gisela, uma; Verona, a outra)
que ninguém é de ferro, e acompanhemos Desirée e Hélio —
ela, de uma beleza morena, menos que mulata, olhos claros
como a lua, cabelos pretos, bem lisos, a chegar aos ombros;

DESIRÉE

a sexóloga que não sabia amar

ele, um moço de fina estampa, de igual tez, cabelos castanhos aprumados a pente sem precisar de brilhantinas ou vaselinas, de glostoras ou gumexes — já aboletados no banco de trás do sedan Plymouth cinza, dos anos cinquenta, mas em estado de novo nos sessenta, do médico Fonseca, ele ao volante e dona Cristina ao lado: "vamos dar uma voltinha rápida, quero lhes mostrar a cidade", sugeriu; "aqui é isso, ali é aquilo, há muito pouco o que ver ou apreciar; que Todavia é uma merda creio que vocês já perceberam; enquanto isso falemos da clientela, que é o que interessa; há muitos doentes a cuidar, pouco dinheiro a ganhar; aqui, há tantos anos, no mais das vezes pratico a medicina em geral em regime de escambo, quando não caritativa; eu consulto e medico, e os lascados e sem dinheiro me pagam com galinhas, ovos, bandas de porco e quartos de carneiro; vezes vêm como pagas frutas das mais sortidas em cestos de cipó nativo e mel de abelha do verdadeiro em litros e garrafas reutilizados; ainda assim não vão lhe faltar, colega Desirée, clientes que lhe paguem em bufunfa; evite acatar cheques, há aqui muitos porreteiros; médica, jovem e bonita como você, com especialização em psicologia e sexologia, há que se dar bem com fregueses muitos enquanto o seu consorte se vira nas minas de manganês do Taitinga; aqui o que não faltam são desprovidos de juízo: uns, mansos; outros, nem tanto; quanto à novidade da sexologia em clínica — e novidade aqui ela absolutamente o é! —, imagino que também nesse campo a colega vai se dar muito bem; não se preocupe em me fazer concorrência, sou hoje um médico que corre dos doentes, e eles igualmente de mim; se ainda mantenho portas abertas é por dever de ofício, estou a poucos passos da aposentadoria, pretendo ir viver de fazer nada em Cacha Pregos, à beira-mar, além do que, desde que Didi do Correio me avisou da sua chegada, leva e traz dos melhores ele é, disse-lhe que não se mostrasse falsamente preocupado com meu futuro de doutor; vivo o presente, o meu futuro me espera na Ilha de Itaparica, vou clinicar de calção de banho e com o estetoscópio pousado no peito nu; ademais, como por aqui se usa dizer, doutora Desirée, doutor Hélio, quanto mais carniça, melhor pros urubus; se vocês não sabiam dessa verdade, guardem-na na memória e depois espalhem que a aprenderam com o Fonseca que vos fala, em uma singela manhã de domingo".

Todavia vista e revista, Fonseca parou à porta da sua casa avarandada — e também consultório — na Rua da Mangueira. E sem admitir negaças, fez de Desirée e Hélio seus convidados para o café da manhã, não tão farto este quanto aquele que desfrutou o monsenhor Galvani, a esta altura posto em casa a ouvir samba-canção no rádio Mullard e a pensar na feijoada posta ao fogo desde a véspera, e que lhe seria o almoço do dia, pinga com limão, cervejas geladas e caldinhos quentes antes de ele ir à mesa; depois, sono em rede de varanda, com direito a ronco e peidos ruidosos, porque rezar missa agora só amanhã de manhã, se Deus quiser. E que as duas mocinhas sestrosas vindas da roça lhe velassem a sesta.

É preciso aproximar-se de sua
esposa com decência e calma,
a fim de que carícias lascivas não
despertem nela um prazer excessivo
capaz de desviá-la do caminho certo.

Aristóteles, filósofo — pra variar, grego! — nascido em Estagira no ano 384 antes de Cristo; aluno de Platão e professor de Alexandre, o Grande. À exceção de Cristo, nenhum dos outros três aqui citados é pessoa conhecida em Todavia, deveras.

Credenciais de doutora escolada em clínica médica, psicológica e sexológica apostas em placa afixada à parede frontal da casa; sofá, mesinha de centro e cadeiras bem simples, mas confortáveis, numa antessala de recepção; uma atendente de sorriso empaticamente gentil, sentada a uma secretária de mogno, com tampão revestido de fórmica azul, coberto por vidro grosso e transparente, sob o qual se viam um calendário de bolso anual da Esso, santinhos de devoção da ocupante da mesa, estes em gravuras policrômicas que a afamada pomada para espinhas da marca Minâncora fazia distribuir, como propaganda e à mancheia, nas farmácias e bodegas. Aqui e ali algumas pontas de papel com lembretes escritos; uma pilha de revistas aleatoriamente expostas em um cesto de vime — *O Cruzeiro, Manchete, Fatos e Fotos, Capricho, Sedução, Sétimo Céu, O Tico-Tico, Revista do Rádio* e *O Sesinho*; uma cuspideira de louça a um canto bem visível, eis o quase tudo que estava a esperar os clientes da doutora Desirée D'Anunciação dos Prazeres, porque em cômodo anexo, que antes antigos moradores desfrutaram na condição

Fernando Vîla

de aprazível quarto de alcova, foi instalado o seu gabinete de atendimento, onde se descobre, em rápido espiar, uma outra secretária de mogno, com igual acabamento de fórmica branca no tampo, vidro leitoso sobre ele sem nada de visível por baixo; uma maca, duas cadeiras de sentar, mais uma outra de espaldar alto por detrás do *bureau*, e por trás dela, em ponto bem visível da parede, o diploma conferido à médica pela veneranda Faculdade de Medicina da Universidade Federal da Bahia; não vamos deixar, contudo, na ânsia desenfreada de descrever pormenores talvez dispensáveis da arrumação do local de trabalho de Desirée, de assentar outros poucos, estes indispensáveis: Olinda Helena chamava-se a atendente; na poltrona de espaldar alto sentar-se-ia sempre e tão-somente a jovem médica; havia, vale ser dito, campainha de metal com som de sininho a ser acionada para fazer entrarem os clientes assim que eles se dessem à honra de aparecer, e eis o primeiro deles que acaba de ser anunciado, um formidável de nome Clinésio Queiroz, gordo e tímido maçom, passado dos sessenta de vida, cabelos cocô de rola artificialmente tingidos de preto, dono de uma loja de tecidos e coisas de armarinho na praça da feira, antecipou tais informes Olinda Helena ao anunciar a sua inaugural entrada, temos aí o primeiro cliente de Desirée em Todavia, e que não seja o último, que esta prosa não pode e nem deve parar por aqui, num Clinésio maçom e tímido qualquer, que deu bom-dia e sentou-se diante da médica, não sem antes apertar-lhe a mão direita com algum recato, desejar-lhe boa sorte e informar chamar-se Clinésio: "não creio ter a senhora ouvido meu nome antes"; "ouvi", assegurou-lhe a profissional da saúde; "Olinda Helena já mo antecipara pouquinhos segundos atrás; o meu é Desirée, D'Anunciação dos Prazeres se lhe

DESIRÉE
a sexóloga que não sabia amar

carece saber, senhor Clinésio, todo, por inteiro; faça-me um favor: sente-se bem à vontade e me diga o que o traz aqui".

E Clinésio, já assentado, o disse, pespontando, aqui e ali no transcorrer da fala, pausada e monocórdica, ser um camarada de saúde perfeita — uns poucos achaques de azia e flatulência tão-somente quando abusava de fatadas, feijoadas, sarapatéis ou rabadas —, afora isso, nada de relevo a registrar; a razão da consulta não residia nele, mas na sua legítima esposa, de nome Adélia; "pois não", aceitou a médica, "e o que ela sente?", quis saber; "não, ela não sente nada, doutora", apressou-se em responder Clinésio; "a questão é justamente outra"; e ela: "qual é?", indagou; Clinésio deu uma girada angular de muitos graus em seu pescoço grosso para assegurar-se de que ninguém, além deles dois, participava da tertúlia: "deixe que eu lhe conte, se a senhora dispõe de tempo e paciência para me ouvir". E contou. E Desirée anotou o que ouviu, em letra de forma de irrepreensível caligrafia cursiva, raramente encontrável em doutores médicos, em sua maioria ágeis garatujadores de indecifráveis receitas e diagnósticos, para o maior desespero de farmacêuticos, laboratoristas de analisar merda e que tais, em fichas de cartolina pautadas por linhas horizontais bem visíveis escreveu a doutora Desirée, eis a seguir o inteiro teor do seu primeiro e proficiente prontuário médico produzido em Todavia, dê-me o apressado leitor tempo minguado apenas para que a doutora o passe a limpo, sem borrões ou deslizes gramaticais, e eu dele tome legítima posse, não posso brincar com coisa séria, e prontuário é sempre e, por demais, coisa muito séria, seja ele médico, político, policial ou profissional é desnecessário dizer, quanto mais escrever.

Fernando Vîta

O indivíduo Clinésio, de sobrenome apenas Queiroz, por ser filho natural de mãe já falecida e não saber nomear a graça do pai, tem sessenta e oito anos a completar mês que vem, mede calculados um metro e sessenta e sete de altura em corpo que estimo pesar cerca de cento e dez quilos (adquiri para o gabinete uma balança antropométrica Filizola na firma Barros & Cia. na Bahia, mas estou a carecer de portador que a me traga de lá), não apresenta problemas visíveis a olho nu e nem acusa sintomas de nenhum mal que lho acometa, a não ser uma obesidade apreciável mesmo se fosse ele duas vezes mais alto do que é (candidato em potencial a males cardiopáticos ou a outras várias patogenias comuns aos gordos, registro e até aposto, no futuro!), diz vir falar da esposa de nome Adélia, com quem vive maritalmente há mais de quarenta anos, e com jeito tímido me conta que sempre foi zeloso com ela nas práticas da cama, vez que tinha por dever prezar e respeitar as convicções e tradições religiosas da consorte, membro da Irmandade do Sagrado Coração de Jesus, hoje já mãe de filhos e avó de netos, mas que ele, Clinésio, desde os tempos de namorado e de noivo da dita Adélia sempre lhe apreciou em respeitoso mas desejoso silêncio o que ele assim designou de traseiro, daí que já casados e mais aparelhados nas artes das brincadeiras de homem e mulher, sondou-lhe em certa tarde de domingo a possibilidade de tê-la por detrás, tendo a madame tomado um susto muito grande e dito "oxente", levando-o a justificar-se, então, como escapatória, que era apenas um chiste, uma pilhéria, mas que tendo sempre ouvido dizer, por bocas alheias, notadamente de uns e outros – irmãos da maçonaria ou não! – muito mais achegados que ele próprio à putaria e a cu de gente, que forma de pica seria cu, porque se forma de pica fosse boceta, pica teria a forma de peixe e não a formatação que tem desde que o mundo é mundo, decidiu por passar tal assunto a limpo, na prática, indo de pica ao

DESIRÉE
a sexóloga que não sabia amar

cu da esposa; então eu, como médica, me choquei com o linguajar coloquial do meu primeiro cliente, mas como sexóloga dei-lhe corda, deixei-lhe à vontade no seu relato, que para não se tornar imenso, aqui, no prontuário, eu o abrevio, registro que de tanto pedir para ir por trás em Adélia, Clinésio obteve êxito, ele apreciou a experiência, ela nem tanto, falou de dor intensa nos anais do furico – e de novo uso, sem pôr aspas nem outros adornos, o palavrear do meu cliente –, eu então intervi, para demonstrar meu saber de ciência, no procto, o senhor quis dizer, o cliente estranhou, como era natural fazê-lo, que cu tivesse também esse apelido de procto, ele que os já tem tantos, e daí eu fiz-lhe um breve enunciado sobre a prática do sexo anal, desde os tempos em que a Santa Madre Igreja tratava ânus por vaso nefando até os dias atuais, os seus prós e contras, cuidados e cautelas, ele atento por demais à minha explanação, a ponto de tomar notas no verso de um papelzinho pardo que me pareceu ser uma pule do jogo do bicho, ao fim e ao cabo eu lhe indaguei, então, o porquê do seu desassossego, e ele mo disse o que se segue: "doutora, é que agora dona Adélia só quer que eu lhe frequente o segundo distrito!" Segundo distrito, agora assustei-me eu, ao imaginar que a sodomia do casal tinha chegado às raias policiais! Mas o meu primeiro cliente em Todavia foi safo em me tranquilizar: "segundo distrito, doutora, é como a minha patroa, desde que me cedeu a cauda pela primeira vez, apelidou o seu próprio cu!", ocorrência que teria causado forte comoção no senhor Clinésio, já que ele, nas práticas tão naturais de marido e esposa – assegurou com ares deveras preocupados –, sempre buscou com denodo as ter outras bem diferenciadas das que costumava praticar quando ia às putas; "puta é puta, esposa é esposa, doutora", acentuou; "a senhora mesma que estudou muito mais que eu bem sabe disso, olhe que eu até busquei sempre não caprichar muito em meus chamegos antes das trepadas com Adélia para que ela não passasse a gostar a mais da conta dessas coisas que se chamam de sacanagem, que o ato de gostar, doutora, quando é demais, vicia". Agradeci-lhe a confiança e a clareza do relato e solicitei-lhe que agendasse, à saída, uma consulta para dona Adélia. Ele aprovou, com um menear de cabeça, a minha sugestão. Antes de deixar a minha sala, um cerimonioso Clinésio externou não disfarçada preocupação, não dissimulado temor, de que Adélia, desde os tempos de solteira, já fosse useira e vezeira nas práticas do sexo anal.

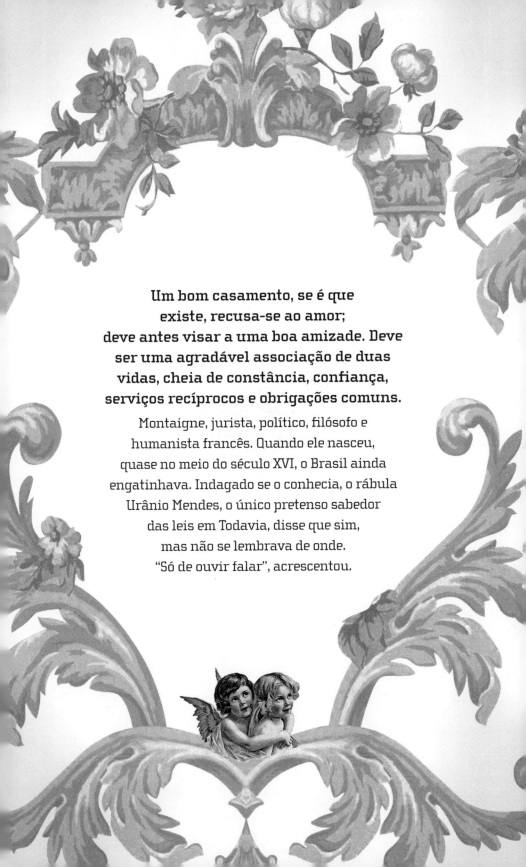

Um bom casamento, se é que
existe, recusa-se ao amor;
deve antes visar a uma boa amizade. Deve
ser uma agradável associação de duas
vidas, cheia de constância, confiança,
serviços recíprocos e obrigações comuns.

Montaigne, jurista, político, filósofo e
humanista francês. Quando ele nasceu,
quase no meio do século XVI, o Brasil ainda
engatinhava. Indagado se o conhecia, o rábula
Urânio Mendes, o único pretenso sabedor
das leis em Todavia, disse que sim,
mas não se lembrava de onde.
"Só de ouvir falar", acrescentou.

Doutora Desirée sentiu-se plena com a sua estreia profissional na cidade. Checou com Olinda Helena os pormenores do pagamento da consulta por senhor Clinésio, que se dera em dinheiro contado e recontado logo ficou a par, como igualmente ficou sabendo que ele de pronto agendara uma consulta para a esposa, Adélia, para a manhã do dia seguinte; menos mal, um pão e um pedaço é sempre um pão e meio, além do que aí estava a prova da satisfação do cliente, objeto e ambição que perseguem os que têm portas abertas, seja lá em que ramo de comércio for, e não tendo por ora novo cliente na sala de espera, deu-se a meditar: "Jesus! E eu, que nunca dei o meu segundo distrito pra ninguém, nem antes, nem depois de casada! E olhe que ele tem certas qualidades", orgulhou-se; afinal, nunca lhe passaram despercebidos os olhares alheios, ainda que furtivos, fossem nas praias do Porto e do Farol da Barra, que frequentava aos fins de semana, fossem nas festinhas universitárias dos sábados à noite, notadamente nas da Faculdade de Enfermagem, onde sobravam as mulheres, mas não faltavam os homens; então ela caprichava nas calças *jeans* bem arrochadas ao corpo bem feitinho e nas minissaias; não fazia feio, pena, por já compromissada ser, não poder variar de parceiro às danças e contradanças, em ritmo de rostinhos colados, em passo de bailar solto; havia música para todos os gostos, tudo muito bom e muito bem, a bebida da moda era a cuba libre, a música quase nunca era mecânica, a luz negra fazia a vida rolar bem mais livre, leve e solta, certo é que antes que o dia raiasse muitos casais de jovens e promissores estudantes já estivessem aos amassos, uns em apertados fuscas, estes que nunca falavam; outros, nos gramados verdes do *campus* do Vale do Canela, que deixavam marcas e pontas de grama nos cabelos; não consta, contudo, que alguém penasse sozinho aos fins das festas da Enfermagem, por mais desengonçado ou desaparelhado de formosura que fosse o mancebo, por menos aprumada e apetrechada de beleza fosse a moçoila; ela adorava essas sabatinas bailantes, as frequentava sempre com o estudante de geologia Hélio, amor à primeira vista desde os tempos do Colégio Central, este seu marido de hoje, que, à diferença do cliente maçom de minutos já idos, nunca buscou lhe ter por trás, sabe-se lá porque cargas d'água estava a gastar seu tempo com tais lembranças; a manhã mal passava do meio, ficou sem clientes, não havia por que não brincar de lembrar dos primeiros tempos de namoro, do noivado solene e festejado, do casamento cerimonioso, da lua-de-mel em um hotel à beira do mar de Copacabana, no Rio de Janeiro; foi tudo muito romântico, muito bonito, casara virgem em ambos os distritos no sentido mais radical da virgindade; beijos prolongados e pau nas coxas de gozos rápidos e melosos à porra que podia estar a vir gente, era assim que se dava então, pouca moça chegou à noite nupcial sem deixar marcas vermelhas em lençóis, sem contar aquelas que, por falta de habilidades ou de prévio treino, só vieram a fazê-lo com vários dias após as núpcias já passados; quantos e quantos

DESIRÉE
a sexóloga que não sabia amar

relatos não teve que escutar, nos primeiros dias da prática da medicina, ainda médica residente do Hospital Português, na Cidade da Bahia, aos primeiros passos na profissão, dando conta desses tipos de sucesso, assim como de tantos outros do manjado estoque do amor, tipo só vou botar a cabecinha, e que, como a fazer inquestionavelmente vera a teoria do pau duro, juízo no cu, levou muita menina a chegar aos pés do padre já com um buguelo aboletado na barriga; quantos marmanjos não foram levados ao altar na marra, sob vara, para não parar nas grades ou tomar chumbo de espalhadeira nos cornos, que cabaços de filhas de homem sério não deviam ser rompidos em vão, pelo menos naqueles tempos de Dom Corno, hoje já nem tanto.

Deixemos a doutora Desirée em suas relembranças casuais e já vemos neste Hélio, seu marido, agora a comandar a quebrança infinda de toneladas e toneladas do manganês nativo das serras do Taitinga de Todavia, antes de o mineral ser embarcado em imensos comboios da Estrada de Ferro Nazaré em demanda às siderúrgicas do mundo de meu Deus, e já vemos, dizíamos há pouco, neste Hélio de Almeida dos Prazeres um exemplo pronto e acabado do que o vulgo denomina como pica de pano, um indivíduo ordeiro, honrado e respeitador em tudo, que de tão ordeiro, honrado e respeitador, anos já passados de casado e não gerara filhos nem usara ter a santa esposa por detrás, acresça-se a ele um outro qualificativo pouco apreciado pelos que se dizem machos, o de um autêntico gala rala, camarada que cultiva na esposa mais as qualidades de uma amiga do que as saliências tão naturais de uma fêmea, vejam que o universo anda apinhado de cornos hélios; ser ordeiro, honrado e respeitador pode não ser a única causa pétrea dos chifres, mas que é uma delas é.

Fernando Vîta

Dona Adélia, ao contrário do esposo, dele é diversa, vez que magra – uns aproximados sessenta quilos – e bem mais alta – um metro e setenta e oito, quem sabe? O diabo da Filizola tem me feito uma falta! – além de ter pai e mãe conhecidos, ambos já desencarnados, para dela usar o jeito de dizer que já morreram, descarece assentar seus nomes neste prontuário, mas a sua idade, esta, sim, sessenta completos tem Adélia; é falante, desenvolta e pouco circunspecta para uma irmã da Irmandade do Sagrado Coração de Jesus, à qual quer que eu me integre ao saber-me católica praticante; tenho que administrar essa minha conversa com ela porque ela fala que é uma coisa demais; a esta altura da consulta dona Adélia já sabe muito mais de mim mesma que eu dela; vamos ao que interessa, não aparenta a paciente, ao viés dos meus olhos, nada além que uma impaciência em falar exagerada e destrambelhadamente, tanto que antes mesmo que eu lhe indagasse a razão de ela estar a consultar-se, foi-me adiantando que quem mandou que ela o fizesse foi o marido, Clinésio: "veja doutora, o quanto ele se preocupa comigo, tanta preocupação tem que, ao saber da novidade que é Todavia já dispor de uma doutora sexóloga como a senhora, não só ele se interessou em saber da senhora que novidades a senhora nos traz neste departamento, o do sexo, tão importante na vida de marido e mulher, tanto que ele veio em pessoa aqui, foi, com muito orgulho, o seu primeiro cliente – a Olinda Helena, que toca a ser minha parenta e é assim comigo me contou! – quanto fez questão que eu fizesse o mesmo em também vir em pessoa, porque achou que a doutora Desirée – não sei se foi só uma primeira impressão dele! – talvez tivesse ficado um pouco encabulada em lhe contar das últimas invenções da ciência humana nessa área deveras fundamental para a melhor perpetuação dos matrimônios e da espécie que é a... – vamos falar de mulher para mulher, sem aperreios, doutora, já que tenho

DESIRÉE
a sexóloga que não sabia amar

idade de ser sua mãe! – ... que é a da putaria", garantiu a minha segunda cliente em Todavia, sem disfarçar um risinho bem sacana nos lábios, ornados a batom de exuberante cor ciclame, mas perto de bem murchos, os faciais, já que aos seus outros lábios, pelo menos por enquanto, não planejo acessar, por desnecessidade clínica.

Socorro, Hipócrates! Me acuda!, quase grito. O que é que eu tenho para contar de novidade em sexo a esta criatura, seja como sexóloga ou como mulher? Talvez fosse hora muito mais de aprender do que ensinar, e que ela fale à vontade, disse-lhe, ainda temos tempo de sobra, sobre a quantas anda a sua vida sexual, e ela me disse que ia mais ou menos, eu lhe perguntei se mais para mais ou mais para menos, ela sorriu, riso farto, e me falou: "para menos, doutora, muito mais para menos do que para mais, doutora, porque vou lhe ser sincera até a medula, no âmbito da putaria, a gente sempre tem que querer mais e mais é pouco"; então indaguei-lhe o que seria esse "mais" que é ao mesmo tempo mais e pouco, e dona Adélia foi-me didática nos prolegômenos, mais didática ainda nos exemplos propedêuticos, exageremos ao dizer assim, vamos deitar aqui no seu prontuário, da forma mais concisa possível, um pouco de cada um, dos prolegômenos – estes por primeiro – e dos exemplos propedêuticos – estes por segundo.

"Clinésio, quando começamos a nos dar como namorados" – contou Adélia – "ainda não era maçom e tirava ares de moço comportado, certinho, enquadradinho, tanto que foi um parto me beijar na boca, parto maior me pegar nos seios e maior ainda me alisar as coxas, imagine a senhora, doutora, quanto tempo ele levou para chegar com os dedos às minhas partes mais guardadas!; mas, desde que isso se deu, as nossas brincadeiras, ao pé do portão ou no coreto da praça da

Fernando Vîta

igreja, foram animadas, apesar de bem respeitadoras dos princípios e dos limites da compostura, para, ao fim dos amassos, não chegarmos aos riscos do descabaçamento, tanto Clinésio quanto eu sempre fomos acordes em guardar a virgindade – a minha; a dele, já ficara para trás, indo às putas dos puteiros, aqui, na Rua do Mija Gás; em Nazaré das Farinhas, na Fontinha, que pra isso ele não era nada bobo! Casamos, ele entrou para a maçonaria, a Veneranda Loja Maçônica Deus é Amor, aqui em Todavia, e vem daí o nascimento da vontade de Clinésio de me comer o cu, por considerá-lo justo e perfeito, não me pergunte a senhora o que a maçonaria tem a ver com isso, que eu não saberia como lhe responder".

Então eu pedi-lhe que se despreocupasse quanto a este detalhe de somenos importância e que me respondesse se a prática do sexo anal entre ela e o esposo era consensual, ela me confessou não saber do que eu estava tratando, mas queria deixar uma coisa bem clara: trepar usando o segundo distrito era uma coisa de muita qualidade – "a senhora, minha doutora, já experimentou alguma vez?" – e antes que eu respondesse que não, dona Adélia, já se levantando e como se quisesse pôr termo à consulta, pediu-me que registrasse, ante à falta que sentia de que eu lhe pudesse ter trazido, e ao seu marido também, da capital da Bahia, algumas novidades no campo da fornicação, que o que mais ela sentia falta era de voltar a trepar pelo mijador (segundo distrito, trepar, fornicação, mijador – clareio –, eis o jeito pouco ortodoxo de se expressar da senhora dona Adélia!), já que o seu Clinésio viciara-se em ir por trás, e em sendo ele um moço muito gordo e farto em barriga, essa função de trepar só podia se dar na posição de espia quem vem. "Espia quem vem?!", fiquei curiosa em saber; "isso, espia quem vem", explanou-me a cliente: "debruço-me

DESIRÉE
a sexóloga que não sabia amar

à janela que dá para a rua, e Clinésio me come por detrás, não me diga que a senhora nunca ouviu falar nessa modalidade de foda!"; confessei-lhe que não; ela admoestou-me com um "não sei então para que tanto estudo!" e fez-me registrar, neste prontuário, uma única queixa: "de tanto ficar na posição de espia quem vem, estava a sentir dores musculares na coluna vertebral e no pescoço, além de intensas cãibras nas duas pernas; Clinésio se demora muito nos entra e sai e nos vaivéns de maneira a economizar o gozo, e eu ainda dou graças ao Sagrado Coração de Jesus de que tais dores não sejam no cu!", respirou, visivelmente aliviada, a minha cliente, conferindo, de soslaio, as horas em seu relógio de pulso.

Dona Adélia agradeceu-me, deu-me um par de beijinhos na minha face direita, deixou-me o rosto marcado de batom ciclame, prometeu mandar-me de presente um bolo de puba que só ela em Todavia sabe fazer igual em gostosura, e afiançou que o senhor Clinésio passaria no consultório, mais tarde, quando saísse da loja, para pagar a consulta, ela própria deixaria Olinda Helena sabedora disso. Receitei-lhe o uso do emplastro Sabiá, ao pescoço e à coluna, não durante as suas performances no espia quem vem, mas tão-somente após elas. Para as cãibras, que espichasse as pernas, ficando ao seu alvitre fazê-lo antes, durante ou depois das idas do senhor Clinésio ao seu segundo distrito.

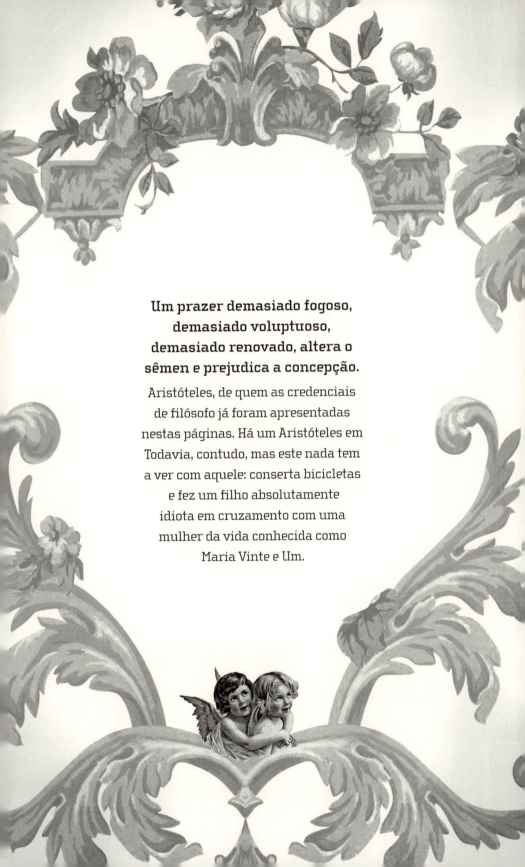

Um prazer demasiado fogoso, demasiado voluptuoso, demasiado renovado, altera o sêmen e prejudica a concepção.

Aristóteles, de quem as credenciais de filósofo já foram apresentadas nestas páginas. Há um Aristóteles em Todavia, contudo, mas este nada tem a ver com aquele: conserta bicicletas e fez um filho absolutamente idiota em cruzamento com uma mulher da vida conhecida como Maria Vinte e Um.

Este Aristóteles Arcanjo da Silva que conserta bicicletas em vez de, por profissão, filosofar, às vezes filosofava sem nem ao menos perceber que estava a filosofar, coisa ainda mais difícil de obrar que filosofar por ofício e ganha-pão, ele que certo dia, ao adquirir convicção convicta de que o seu único herdeiro, Aristóteles Júnior, filho da puta de berço, daí o Júnior do sobrenome e nada mais, invertendo a obviedade natural de se saber dos filhos de putas a graça da mãe e não a do pai; mas, deixemos à parte o óbvio, por mais que ele insista em ulular, e o lógico, estamos em Todavia; sim, voltemos ao supracitado certo dia em que Aristóteles das Bicicletas, mesmo sem o querer filosofou; foi em conversa de bar com amigos do peito, que lhe cobravam o fato de Aristóteles Júnior ser um elemento de utilidade abaixo de zero, desses que nem pra dar recados servem, imagine um filisteu que aos vinte anos de vida no lombo não passou do primário na escola, não firmou os pés em qualquer emprego ou bico, foi considerado inservível até para, pasme, prestar o serviço militar obrigatório no tiro de guerra e passa distante igualmente de vir um dia a substituir o

Fernando Vîta

pai nos reparos de bicicletas, já que nunca conseguiu aprender a nelas montar, deficiência notável já na primeira infância, quando, instado a pedalar velocípedes, não manejou fazê-lo nem debaixo de porrada, prenúncio evidente de que jamais habilitar-se-ia a dominar veículos de duas rodas, quanto mais a consertá-los, sendo esta uma das muitas vergonhas que causava ao pai, exímio ciclista, mas não a única, vale dizer, padecia de outros defeitos o elemento Júnior, ser gatuno apenas um deles, daí que quando o Aristóteles pai, um dia, mesmo involuntariamente filosofou, recebeu aplausos e considerações dos que o ouviram, e a filosofia exarada foi a de que, se no dia em que fodeu Maria Vinte e Um, na proa deliberada de lhe conceder a graça de parir um filho, tivesse em vez disso batido uma punheta, desperdiçaria a gala, mas não teria ajudado a vir ao mundo abestalhado de tão desapreciável currículo, e tendo sido sondado, filosofia paternal já posta à mesa, sobre o que do filho pensava a mãe, não fez mistério: Maria Vinte e Um anda a repetir, com ares de Madalena sinceramente arrependida, que, lhe fosse dado o direito de escolha, preferiria, no lugar do Aristóteles Júnior, ter parido um adobe de massapê, tal é a carência de serventia do seu rebento, que assim feito peito de homem — par de bicos mochos que não oferecem nem leite nem deleite — nenhuma serventia tem.

Pois foi justamente este Aristóteles das Bicicletas que apareceu certo fim de tarde, sem agendamento prévio, no consultório da doutora Desirée D'Anunciação dos Prazeres; disse a Olinda Helena que o fazia por sugestão de Clinésio Queiroz, irmão maçônico na venerável Deus é Amor, pediu desculpas à atendente pela não marcação antecipada da consulta, estava

DESIRÉE
a sexóloga que não sabia amar

a sentir, com frequência, certas pontadas ao peito, e cansado de ter do doutor Fonseca sempre o repetido diagnóstico de que não é nada, vai passar!, resolvera seguir à risca o aconselhamento de Clinésio e vir em demanda da nova médica. Teve que esperar na antessala não mais do que uns vinte minutos, a doutora estava a se desincumbir de exames em uma criatura de certa idade que se achava grávida; "é ela, a dona Mercês, sogra de Apolônio da farmácia, avó de Das Dores professora, viúva do finado Secundino, que tocava bombardino na Sociedade Philarmônica Amantes da Lyra, o senhor lembra dele, seu Aristóteles?", quis saber Olinda Helena, passando-lhe um exemplar meio amarfanhado de *O Cruzeiro*, reportagem de capa *a aparição de discos voadores em Niterói*, no estado do Rio: "veja em que mundo estamos, seu Aristóteles!", acrescentou ela, informando por importante o valor dos honorários médicos a serem saldados posta em termo a consulta.

Fernando Vîta

Aristóteles Arcanjo da Silva me parece um humano muito tímido e desnecessitado de vaidade, com um boné de brim azul-marinho amarfanhado às mãos, como se a elas buscasse dar alguma utilidade antes que eu o mandasse assentar e falar; e como ele nada falasse, mesmo já devidamente assentado à cadeira de paciente, impacientei-me eu e o instei a pôr o boné à mesa, ou, se preferisse, em um dos bolsos do macacão de mescla cinza grafite que vestia, e foi aí que notei, no frontispício do boné que ele optou, com alguma dose de incerteza, por deitar à mesa, interessante alegoria, um pulsante coração vermelho e a frase "I Love Todavia" em igual cor, o que me deu mote para lhe indagar se, de fato, amava viver em Todavia, ao que ele, agora, mais uma vez sem saber o que fazer com as mãos, me respondeu: "que jeito, doutora?", o que descabe muito explicar para clarificar que, se aqui Aristóteles vive, o faz por não ter outra opção de plaga para viver; tergiverso, estes meus prontuários médicos estão virando um verdadeiro diário, sabe-se lá Deus o que farei deles no futuro – dissertação de mestrado? Tese de doutorado? Livro de memórias? – porque de uma coisa começo a ter certeza, Todavia para mim é rito de passagem, aqui só fico enquanto o meu consorte Hélio não for mandado pela Arditi Minérios para outro posto fora daqui, quiçá na Cidade da Bahia, porque viver em Todavia é para esse Aristóteles, que outro jeito não tem, cuidemos dele, cinquenta anos redondos, imagino que não mais que metro e setenta e um de altura e setenta e quatro de peso (a Barros & Cia. mandou-me telegrama informando que a minha Felizola antropométrica foi finalmente embarcada, com frete a pagar no destino, no caminhão de um tal José da Encarcadinha, com entrega prevista para esta sexta-feira); eu já estou ciente das pontadas no seu peito, seu Aristóteles, lhe disse – Olinda Helena já mas antecipara ao dar ingresso ao cliente no consultório; são frequentes?, indaguei-lhe, e ele me disse de forma quase inaudível, que sim; perguntei-lhe se as atribuía a alguma

DESIRÉE
a sexóloga que não sabia amar

causa notável, ele tergiversou, voltou a pegar o boné, olhou para os próprios pés, repôs o boné à mesa, segurou com as duas mãos, agora já despreocupadas do boné, a cabeça encimada por cabelos crespos, principiando a esbranquiçar, e desabafou: "sim, doutora, a meu menino Aristóteles Júnior, me perdoe a franqueza, um filho da puta que não vale nada".

Fiquei em dúvida se o encaminhava a uma radiografia do tórax, que só se faz fora de Todavia; exames viáveis aqui só os de fezes ou urina, que informam sempre o que todos já sabemos: amebas, oxyuris, trichuris e que tais sempre fazem a festa na merda dos nativos, que bebem águas de aguadeiros que as pegam em barris em fontes as mais corruptas, quando não no Rio da Dona, este, que na proa do Jaguaripe e do mar da Baía, já mais esgoto do que rio, insiste em esgrimar vales e planícies só para não passear por dentro de Todavia; mas antes que me decidisse em fazê-lo, quis auscultá-lo e medir-lhe a pressão arterial; ele prontificou-se desabotoando o macacão ao peito e em seguida facultando-me o acesso ao seu braço direito; nada de anormal registrei, dei-lhe a notícia com um sorriso sincero, então Aristóteles, voltando nervosamente a abotoar a farda manchada a óleo da sua labuta diária com bicicletas, pediu-me que eu deixasse seu coração de lado, as pontadas eram apenas um pretexto para a consulta, já que o que ele queria saber mesmo era de sexo!

Meus sais!, quase imploro. Olinda Helena, quase grito, ante o temor de que, diante de mim, estivesse um tarado Aristóteles que conserta bicicletas a querer montar em mim, na tora, como se eu fosse uma delas, Deus meu seja louvado!, mas o próprio cliente sentiu o meu desconforto e pôs em pratos limpos e areados, com o seu jeito deveras simplório, o percebível mal-entendido, procurara-me como sexóloga e não como médica clínica, desejava fazer outro filho

Fernando Vîta

e queria aclarar dúvidas tais e tantas que não o permitissem bisar, no cruzamento de macho e fêmea, os mesmos erros que porventura cometera ao se acasalar com a mundana Maria Vinte e Um para produzir este Júnior já citado, que, entre outros por demais e tantos desarranjos à sua vida de pai, até pontadas no coração lhe causava.

Explique-se melhor e de forma clara, senhor Aristóteles, eu disse-lhe; sinta-se à vontade, redisse; e ele, como que aos poucos pondo a timidez de lado, contou-me que, solteiro convicto ainda até hoje, anos já de há muito passados decidira-se por ter um filho, um herdeiro, que o sucedesse nos tratos com as bicicletas, que dele cuidasse quando a velhice chegasse, essas coisas tão comuns aos que temem a solidão e a sozinhez do mundo, tendo se valido, para tanto, de uma rapariga de nome Maria Vinte e Um, vez que de todos era sabido em Todavia das muitas habilidades e efetiva operatividade laboral desta Maria na cama, apodavam-lhe o Vinte e Um ao nome por ter, em turno único, das dez da noite de um sábado, às sete da manhã de um domingo, esta Maria passado em boceta, cu e boca – e mais orifícios adaptáveis à fornicação tivesse e deles se utilizaria sem mais porquês para cumprir com desvelo e proatividade o seu mister! – exatos vinte e um cavalheiros, que lhe pagaram os respectivos honorários, os assim ditos michês, todos com o satisfeito cheio e as varas moles, sem pechinchas nem reclamos, tendo ficado de fora da maratona um vigésimo segundo tão-somente por causa da proximidade da hora da missa na matriz, que a meretriz não a dispensava por nada; ainda assim esse cliente, de nome Pacífico, aguardou ao pé do puteiro o seu retorno da igreja para então também se aliviar, e Maria o serviu com zelo e proficiência, igualmente como o fizera aos vinte e um clientes precedentes, com sucesso e sem queixas, ganhou o batedor de soro da rabeira da fila o codinome de Pacífico

DESIRÉE
a sexóloga que não sabia amar

Vinte e Dois justamente por se ter encarregado de passar a história adiante, então melhor alternativa que Maria Vinte e Um Aristóteles não poderia dispor para gerar um filho, nasceu o Júnior, cresceu tendo tudo do bom e do melhor; deu merda, no entanto, uma decepção sem conta, o passar dos anos veio a demonstrar, um inservível o rapaz seu guri, e em agora querendo aventurar-se a produzir um outro filho de puta para povoar a humanidade já tão basta deles, precavido busca, com a antecedência possível e a claridade das luzes da ciência, selecionar a parideira exata e os melhores métodos de reprodução em cama, poste de rua, baia de cavalos, fundos de quintal, o que lá seja necessário, para não pôr no mundo um outro Aristóteles Júnior; "me ajude, por favor, doutora!", e eu, estupefata, ouvi o seu apelo no sentido de aclarar-lhe as dúvidas. Deveria ele, o reprodutor, esmerar-se na arte de foder direito, fazendo as coisas como mandam as regras do figurino dos putanheiros mais sabidos, princípio, meio e fim, sem pressa nem açodo? Deveria portar-se como os galos, rápidos como o quê em seus desideratos amorosos com as galinhas? E por falar nestas, a fêmea eleita deveria ser triada entre as putas dos puteiros, as encubadas que ainda lá não chegaram por falta de chance ou no rol das criaturas que estão a querer dar as partes e ainda não encontraram a quem?

Pedi-lhe um tempo, saí um pouco do consultório, atravessei o corredor da minha casa, fui à copa, tomei um ar fresco, bebi um copo d'água bem gelada e, ao retornar, Aristóteles já não estava mais lá. Olinda Helena deu-me conta que ele, com ares de satisfeito, pegara o seu boné e se mandara. Prometera voltar para uma nova consulta e que pagara regiamente esta, inconclusa.

Tímido por demais, este meu novo cliente! Ou arteiro, em igual dose!

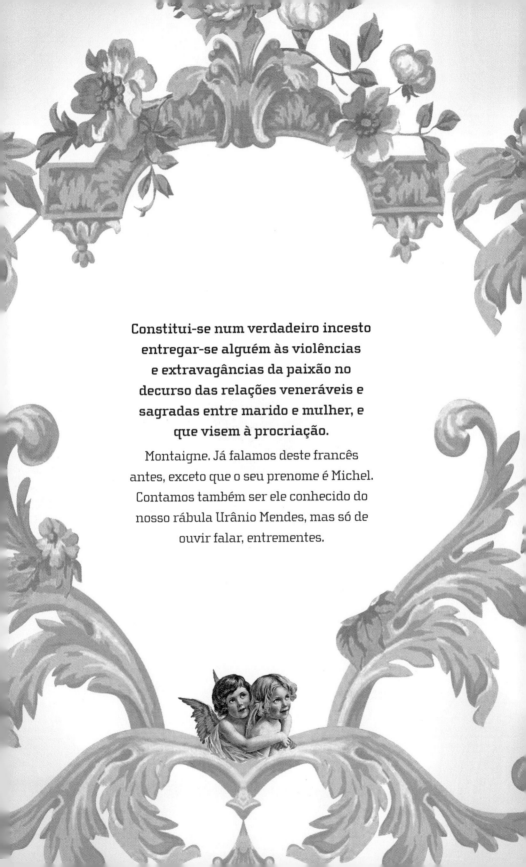

> Constitui-se num verdadeiro incesto entregar-se alguém às violências e extravagâncias da paixão no decurso das relações veneráveis e sagradas entre marido e mulher, e que visem à procriação.

Montaigne. Já falamos deste francês antes, exceto que o seu prenome é Michel. Contamos também ser ele conhecido do nosso rábula Urânio Mendes, mas só de ouvir falar, entrementes.

Hélio engenheiro de Almeida geólogo dos Prazeres desperta com os passarinhos que mais cedo acordam em Todavia, porque tem que assumir o volante de um jipe Willys do tempo da guerra, já deveras corrompido pelo uso, o Overland aqui posto em batalha, não no grande conflito mundial, mas em labuta de agora, na Arditi Minérios, e dirigir até as minas do Taitinga; parte de casa sempre e religiosamente às seis, antes que o trem das sete horas o faça da estação da EFN; enfrenta até lá uma estrada encascalhada que não é tão longa em quilômetros (não mais que trinta e seis deles), mas onde abundam buracos profundos, derrapantes atoleiros, ribanceiras traiçoeiras, inevitáveis mata-burros, trepidantes costelas de vaca e poeira refinada tal e qual um polvilho antisséptico Granado, só que de coloração ocre clara, de sorte — ou de azar? — que mesmo não sendo tiranas as léguas do percurso matinal quando rigidamente medidas em metros de trena, são tantos os percalços nelas a encarar, que ele se faz penoso e demorado em mais de uma hora de relógio, assim que, se já parcialmente cansado chega à sua faina diária o marido da Desirée médica clínica

Fernando Vîta

D'Anunciação psicóloga dos Prazeres sexóloga, imagine, com carinho e compreensão, em que bagaço dos diabos ele não se apresenta de volta quando aporta à casa da Rua do Espera Negro, lá pelas quase oito da noite, depois de um dia inteiro a ouvir estrondos de dinamite, reclamos de peões e cascatas de pedras, gravilhões e mata-cães de manganês a se acomodarem de volta ao chão após brevíssimo sobrevoo pelos ares.

Então, banho tomado em presença atenta e solidária da esposa, a trocar resumidos informes mútuos sobre o que foi o passar do dia de cada um, pijama de morim listrado de azul e branco, adornado com bordos de sianinhas grenás aqui e acolá, uma sopa quente, um ajantarado frugal de assado de boi, peixe ou frango e salada verde, a ouvir no rádio Philco Transglobe da sala, dissonante, *A Voz do Brasil,* mais ruídos de estática que mesmo voz de se ouvir; um tempo em frente ao televisor Colorado RQ em preto e branco, que é quase só chuviscos e não imagens de se ver da novela diária da vez na Itapuã, um Bat Masterson em capítulos semanais e logo o cantar boni-to de Caymmi como fundo, indiozinho tupi na tela, manda a canção Acalanto avisar que é hora de dormir, é tão tarde/ a manhã já vem/ todos dormem/ a noite também, assim vá você imaginar que um engenheiro Hélio, às tantas e quantas, ainda vá encontrar têmpera e ânimo para responder com pica no modo dura aos beijos, abraços e carinhos furtivos, mas eloquentemente sensuais, da doutora Desirée, esta que, agora em provocante e diminuto *baby dool* lilás de seda da China, diferentemente dele, passou seu dia de poucos clientes a ouvir relatos picantes e deveras interessantes de como são as toadas dos machos e fêmeas de Todavia nas suas alcovas ou nos seus

DESIRÉE
a sexóloga que não sabia amar

puteiros; "deixemos para amanhã o de fazer de hoje, meu amor, estou moído, um caco, vamos descansar, fim de semana vem aí para a gente passar nossos apontamentos a limpo e atualizar a escrita", ressona o geólogo; "com Deus me deito e com Deus me levanto", oram em dueto, o sinal da cruz individualmente feito em solitário, braços de Morfeu que amanhã já é outro dia, ele e as suas agonias, amém.

Desirée ainda insiste em demandar a sua mão esquerda, dedos longilíneos de unhas bem tratadas a esmalte branco claro, pela pélvis posta em repouso do seu macho, e ele resmunga um ai único já no seu muito sono represado; a fêmea a recolhe de sob o pijama de Hélio, pousa-a delicadamente sobre o bico dos próprios seios túmidos, e, com a outra, a direita bem sestrosa, passeia em roçar suave de vaivém até a púbis de pelos ralos e bem aparados a tesourinha Mundial, antessala do gozo silente em siririca que logo vem.

Antes de abraçar-se ao travesseiro de macela, e também dormir, a doutora sexóloga arrisca ainda encontrar ouvidos para solitária questão de fecha dia: "meu amor, os seus pelos pubianos estão muito bastos! Quer que eu lhe faça uma tricotomia no domingo depois do almoço?" "Pelos, o quê? Tricote, o quê?", mal ela ouviu Hélio balbuciar. "Os seus pentelhos, amor, que estão grandes. Vou raspá-los a gilete no fim de semana. Pode ser?"

Fez-se, enfim, o silêncio que o Acalanto de Dorival tanto queria.

Fernando Vîta

Ufa, que Deus seja louvado pelas horas que são! A balança antropométrica do meu consultório finalmente chegou da Cidade da Bahia no finalzinho da tarde da sexta-feira, e já ma foi entregue, com a nota fiscal e ademanes, pelo caminhoneiro José da Encarcadinha, um moço muito simpático e tratável que – e aqui louvo a Deus de novo, por não ser desperdício fazê-lo! – me dispensou do pagamento do frete; disse-me que era coisa de pouca monta; indaguei-lhe, por mera curiosidade, o valor do montante, ele não mo repassou, o que equivale a crer que, à luz dos ajustes de convivência vigentes em Todavia, sobre os quais bem me alertou outrora o colega Fonseca, lá adiante essa mera cortesia tomará forma de escambo, e em algum momento terei que abrir mão de meus honorários, caso venha, como médica, a atender um dia este Encarcadinha ou algum seu parente ou aderente próximo, mas, deixa pra lá, o importante é que a partir de agora já não terei que estar a adivinhar, na base do palpite, peso e altura de quem quer que seja, a minha Filizola já está aqui, nesta manhã absurdamente quente da segunda-feira, a ser desembalada, com muito gosto e cuidado, por mim e por Olinda Helena, faço questão de tomar nota deste acontecido em mais uma ficha de prontuário, porque é delas que me tenho valido para registrar, quase que como em um diário de classe, ou quiçá em um caderno de confidências, tudo o que vivencio aqui: eu comigo mesma, com os meus – ainda! – poucos clientes e as minhas circunstâncias.

Enquanto desembalamos a antropométrica, que a Barros & Cia. acomodou em um robusto caixote, fechado a muitos pregos e resistentes fitas metálicas, confabulo com a minha aplicada atendente, cada vez mais presente e confidente no meu dia a dia de médica novata em cidade estranha em que nunca imaginei um dia vir a viver e a trabalhar; conto-lhe, atenta a não transgredir os regramentos dos sigilos

DESIRÉE
a sexóloga que não sabia amar

a preservar na labuta de médico com paciente, alguns pormenores ambulatoriais, mas, aqui e acolá, vou trazendo ao nosso descompromissado papo de mulher com mulher, questões tais as levantadas por alguns dos meus clientes, aos quais não fulanizo, entretanto, coisas como o uso do segundo distrito – ânus – como alternativa ao primeiro –vagina –; a posição cognominada espia quem vem, de mim até então inteiramente ignorada, e até mesmo a curiosidade de um deles – claro, não lho disse o nome, repito! – em apurar, em mesa de sexóloga, se a forma, a condução e a maestria de um coito, tanto quanto a criteriosa seleção da parceira de cruzamento, teria algum tipo de influência notável no resultado final que se busca ou pretende obter, pelo menos biblicamente, na conjunção carnal de homem com mulher, que é, por intermédio da procriação, a preservação da espécie, o ciclo trepar, engravidar, parir; em síntese, busquei descontrair um pouco a prosa para, mais à vontade, deixar Olinda Helena – para os que não a conhecem, uma gaza simpática, de olhos azul-claros, corpo mediano no peso e bem desenhado nas formas, tem vinte e oito anos, cursa o ginasial noturno nas freiras Mercedárias e é órfã de pai.

"– A senhora, doutora, nunca ouviu ou jamais experimentou trepar na maneira de espia quem vem? Nunca, antes, ouviu falar dela ou de se frequentar o segundo distrito? E do modo de transar coqueirinho? E da gateza? Vá me perdoando a ousadia, doutora Desirée dos Prazeres, mas não me diga que o doutor Hélio nunca entrou na senhora pela porta dos fundos, ou nunca lhe falou da excelência que é se trepar no jeito de frango assado!", admirou-se, com indisfarçado espanto, Olinda Helena, que ainda me explanou outras formas bem criativas de se trepar, pela frente ou por trás, sendo que ao falar de algumas delas, como a denominada de gatinha, aventurou-se prazerosamente

Fernando Vîta

a ficar de quatro ao chão, como uma dengosa siamesa, usando mãos (patas?), dedos, braços e pernas para melhor teatralizar como se fode de gatinha, e em notando em mim uma curiosidade bem mais de mulher que de sexóloga, prontificou-se a contar-me, didática e detalhadamente, de uma trepada que ela protagonizara certa vez com um camarada de nome Dega, que joga num time de bola local de nome Onze Unidos, este Dega, no caso, segundo ela, em sendo um meio-campista de primeira, igualmente é marido de papel passado de uma professora primária de nome Tereza Brito, e como já estávamos a conversar de pé desde que iniciamos a desembalar a balança, e a conversa a cada segundo mais me aguçava a vontade de prolongá-la, pusemos a Filizola, já habilitada e tarada para o uso em serviço, no melhor lugar que elegemos para posicioná-la, de maneira que eu pudesse, mesmo da minha mesa de trabalho, pesar e medir os meus pacientes sem precisar de desnecessários movimentos, convidei Olinda Helena a sentar-se como se uma cliente fosse, e fiz-me toda ouvidos, sentada eu também, aí então foi que Olinda, mais à vontade ainda do que já se encontrava antes, falou-me de Dega, um seu "cacho" amoroso, como ela própria o definiu, e que a teve em cama, uma certa vez, em enlouquecedora performance que ela definiu como "o majestoso carro alegórico".

– Carro o quê? – indaguei-lhe. "– Alegórico, doutora!" – retomou a prosa a minha assistente. – Conte-me tudo, não me esconda nada – eu supliquei-lhe, bem-humorada – e ela prometeu-me que assim o faria; e começou por falar do tal Dega, a quem cominou com fartos elogios de fauno de ébano, pense num homem bonito, um mulato de raros olhos verdes, sestroso, malandro, um jogador de bola bem alto e espadaúdo, que apesar de não ter sido o meu devedor (aclarou ela, de pronto, que devedor é o homem que tira a mulher de casa, cassa-lhe

DESIRÉE
a sexóloga que não sabia amar

a virgindade. Fiquei meio avoada com a explicação, mas deixei que Olinda Helena fosse em frente); "sim, doutora, apesar de não ter sido Dega o meu devedor, a gente já se dá há coisa de uns cinco anos, a professora esposa sabe, mas faz de conta que não sabe, até porque se ela fosse se aborrecer com as artes de Dega iria se entisicar de tanto aborrecimento, já que Dega, por aqui e arredores, come Deus e o mundo, não só sou eu que o tenho em foda, mas, sabe, doutora, Dega é meio destrambelhado da razão, me perdoe o jeito de dizer; dentro da cabecinha dele só têm dois bês, bola e boceta, e foi Dega que me levou à loucura quando, com muita paciência e tempo de sobra – a professora Teresa estava prenha de seis meses e a dar aula no Félix Gaspar – uma certa tarde me iniciou na prática do tal carro alegórico" (e aí Olinda Helena propôs-se a deitar-se de costas ao piso, dizendo ser ela o Dega, e que eu, Desirée, no papel de Olinda Helena, me abancasse sentada sobre sua xereca, como se a sua xereca fosse a caceta de Dega, imagine a cena!); "a função do carro alegórico começa assim, doutora, Dega deitado na cama, com a sua taca dura que só um poste de concreto, e a Olindinha Helena aqui, gloriosa, como se fosse uma rainha da primavera, ou de Sabá, nela encaixada, a subir e a descer sem desenroscar-se da trolha do meio-campista, e a girar para a esquerda e para a direita em movimentos ritmados, a jogar beijinhos com as mãos para um imaginário e imenso público a aplaudir, e o gostoso do Dega ali, na dele, a achar tudo muito bem e muito bom, e a gemer de tanto gozar, faça como eu estou lhe dizendo, doutora; agora, para a senhora ganhar a prática, suba e desça, bem sentadinha em cima de mim; rode para um lado e para outro, distribua beijinhos, sinta-se uma rainha do Carnaval a foder em um trono perante seus súditos foliões; prossiga doutora, ai, que eu vou parar, senão eu gozo", exaltou-se Olinda Helena; "é assim que se faz quando se trepa do jeito de carro alegórico, entendeu, doutora Desirée?, sendo que no caso de Dega e eu, o sacana, na prática da foda à vera, na hora da maravilha, entre uis e ais de prazer, ainda tem tino e imaginação para me mandar fingir que estou a soltar rojões juninos, daqueles que vão aos céus saindo de tubos cilíndricos de papelão cor de cinza e, lá em cima, nas nuvens, pipocam que é uma beleza, e eu o faço, doutora, simulo soltar os fogos com as mãos e aos estouros com a boca, dando mais vida ao penúltimo dos meus orgasmos, que já passam dos oito, sei lá se o último será o nono, o décimo, aí quem é que maneja contabilizar tanto prazer, doutora, me diga a senhora?"

Apoiei-me ao encosto da cadeira; saí de cima de Olinda Helena; dei-lhe a mão para ajudar-lhe a levantar-se do chão; ajeitei o cabelo e conferi a minha maquiagem vendo o meu rosto suado no espelhinho redondo do meu estojo de Royal Briar da Atkinsons. Quanto ao manejo e ao uso de contar orgasmos, fico devendo resposta à minha atendente. Não me lembro de quando, eu e Hélio, fomos além do primeiro.

O marido deve ter relações com sua mulher somente três vezes por mês, a fim de se achar sempre à altura de seu dever.

Sólon, estadista, legislador e poeta, tido como um dos sete sábios da Grécia. Veio à luz em Atenas seiscentos e quarenta anos antes de Cristo fazer o mesmo em Belém da Galiléia. Informado desta ideia contábil, filosófica e atuarial do comedido Sólon, acerca das copulações maritais, ao ler, por hábito, os pensamentos alheios em pés de páginas do famoso Almanaque Capivarol, o respeitado pebolista Dega, do Onze Unidos Futebol Clube, exarou excruciante parecer: "Três bimbadas eu dou em uma única deitada. E sem tirar o pau de dentro!".

A Arditi Minérios sempre depunha religiosamente em repouso as suas armas — bananas de dinamite, tratores, caçambas, trólebus e peões — aos sábados e domingos; não o fazia por voluntário e deliberado gosto, mas por ser nos fins de semana, na região do Taitinga, que centenas de pobres coitados — velhos e velhas, mulheres, homens e crianças — aproveitavam a trégua nas explosões das minas para se dedicar, em suas casas de pobres, na maioria míseras palhoças de pau-a-pique, à laboriosa fabricação artesanal de fogos de artifício — bombinhas e bombões; cobrinhas e estrelinhas; rodinhas e espanta-coiós; espadas e rojões — que uma vez acondicionados nos galpões industriais clandestinos dos magnatas, que usavam da mais--valia da mão de obra barata e os exploravam, em vistosas e coloridas embalagens, com marcas de fantasia de reconhecida fama e muita aceitação de mercado, eram mandados aos quatro cantos da Bahia, do Brasil e, quem sabe, do mundo todo, onde ganhavam os céus e iluminavam as noites de festas e celebrações, de maneira que seria de todo imprudente misturar-se em um mesmo Taitinga, em um mesmo sábado e em um mesmo

Fernando Vîta

domingo a dinamite da Arditi e a pólvora dos coitados, deixemos que imprevistos ou imprudências outros se encarreguem de, com regular frequência, fazerem ir pelos ares esses paióis de arribação, levando às alturas do infinito vidas e mais vidas de humanos e animais como se foguetes de lágrimas ou de estouros fossem, não foi uma, nem foram duas, nem três as vezes que as tragédias se deram, a última delas um dia desses: um porco desorientado e vagueante assentou de quatro os seus fundilhos numa gamela de explosivos, foi um miserê do cabrunco, foderam-se mais de cem foguistas e quase igual estoque de bichos de criação, dos que usam bestar perto das pessoas — galinhas, saqués, perus, passarinhos de gaiola e canto e cachorros, sem contar o dito porco, este foi que puxou a fila! — e se Todavia é hoje deveras conhecida aqui e alhures por Todavia, o é muito mais por essas tragédias pirotécnicas tão comuns e impunes que mesmo pelos milhões de toneladas de manganês que exporta, a vida tem dessas coisas, e se assim não fora, vida não seria; então sábado e domingo eram os únicos dias que o engenheiro geólogo Hélio de Almeida dos Prazeres tinha para vadear.

E como ele vadeava! Fazia gosto ver!

A feira livre de Todavia, uma ruidosa assembleia de pencas, cachos, dúzias, centos, litros, grosas, capoeiras e quartas do que o freguês possa imaginar em coisas de comer, beber ou criar, testemunhava o engenheiro Hélio nela sempre chegar, bem cedo, a cada sábado, mal as mercadorias eram arriadas pelos seus vendeiros sobre as pedras cabeças de negro da praça,

DESIRÉE
a sexóloga que não sabia amar

e de lá sair com o jipe atochado de pequenas compras — de bananas, dos vários tipos; de seriguelas, as mais maduras; de ovos caipira e quiabos, os mais frescos e verdes; de laranjas, limas e limões, os mais vistosos; de mel de abelha e melaço de cana, os mais doces; de abacates e cajás, os mais graúdos; de frangos e saqués, os mais fornidos; de puba e farinha de mandioca, as mais refinadas — em demanda à casa da Rua do Espera Negro, que por ter quintal grande e muros altos, pouco a pouco viu terra arada a enxada e ancinho virar pequenas hortas; mamoeiros florescerem; cajueiros prosperarem e pregos em paredes sustentarem gaiolas de passarinhos; tudo nesse pedaço rural no urbano de Todavia começou por um trinca-ferros que lhe foi presenteado por um mineiro subalterno e pelo desejo que o nato urbanita de metrópole sempre cultivou, e nunca pôde antes pôr em prática, de um dia vir a plantar e a colher, então encarar os monótonos fins de semana naquele cu de mundo, onde nada de mais interessante restava fazer que ir à feira no sábado, à missa do domingo na matriz e à sessão de cinema do Cine Theatro Glória, já não era um problema a atormentar-lhe; Desirée lhe cobrava mais tempo para os dois, juntos, Hélio sofismava, dizia que agora era um "rurícola minifundiário", a esposa médica sorria, ia cuidar de passar a limpo, à mão, caneta e tinta, os prontuários da semana toda, porque a comandar a cozinha e a limpeza da casa e consultório já se prontificava uma pretinha Mariazinha toda bonitinha e bem acabadinha de corpo, de seus dezoito anos, trazida de Santana do Rio da Dona, a parcas moedas de salário, para tais misteres, com folga a partir da noitinha para frequentar as primeiras lições do primário no Félix Gaspar; assim se davam os tempos e as coisas, fora daí só os muitos convites que o casal buscou refugar, com bons modos, para

Fernando Vîta

vir a fazer parte dos quadros associativos do Lions e do Rotary clubes locais, pouco gregários, os dois, tão pouco gregários, que um dia decidiram-se por já ter chegado a hora certa de buscar ter filhos, o que gerou agradável conversa, Desirée à sombra de uma jaqueira, Hélio a plantar mudas de alface transplantadas de uma leira sementeira:

— Sabe, amor, se você tiver a mão tão boa para fazer filhos quanto as tem para plantar e colher, os nossos filhos serão tão bonitos e saudáveis quanto as suas hortaliças. A diferença é que meninos e meninas não são feitos com as mãos...

E Desirée aproveitou-se do chiste para relatar a Hélio algumas das suas interessantes vivências de sexóloga de província, do usufruto de Clinésio Queiroz do segundo distrito de Adélia; das dúvidas do mecânico de bicicletas Aristóteles como sobre concertar, com êxito, a partir de uma boa trepada, ter um filho de inegável qualidade superior; das peripécias orgásticas da puta Maria Vinte e Um, deixando propositadamente para o fim a didática aula que recebera da sua própria atendente Olinda Helena sobre a diversidade, a criatividade, a multiplicidade e os sabores de uma boa foda, tecendo loas em especial ao formato "o majestoso carro alegórico", findo o quê, ouviu do marido, pasmado:

— Jesus, bendito! Estamos em Todavia ou em Sodoma? Numa merdinha de cidade do interior da Bahia ou na Gomorra dos arredores bíblicos do Mar Morto? Vai ver que é por isso que por aqui se parem tantos malucos, tantos desarrazoados, tantos variados do juízo, tantos manetas e pernetas...

DESIRÉE
a sexóloga que não sabia amar

E pediu a Mariazinha que lhe trouxesse um copo de água gelada e um cafezinho feito na hora. E prosseguiu na sua prazerosa e lúdica faina, entre tomates cereja e coentros, maxixes e pimentões, jilós e abobrinhas.

Desirée retornou à escrita dos seus prontuários.

Fernando Vîta

Ah!, lembrei enfim do raio da palavrinha que desde ontem me encucava para lembrar: esfíngico, isso mesmo, esfíngico; o meu saudoso mestre Norival Sampaio a usava muito em suas concorridas aulas de psiquiatria clínica, na Federal de Medicina, quando queria referir a alguém ou algo difícil de se decifrar; o mesmo elegante Norival que, quando se dirigia a algum aluno definitivamente burro, tapado, ignorante, usava de sútil ironia para fazê-lo: "seu fulaninho de tal, o senhor, que tem um pouquinho mais de dificuldade em entender as coisas, queira, por gentileza, me explicar o que Sigmund Freud quis aclarar quando…"; e o fazia, o velho Norival, de forma tão natural e distinta, que nem o fulaninho de tal, nem os demais sicraninhos da classe percebiam a perfunctória estiletada do renomado psicanalista; mas o esfíngico que eu buscava lembrar já tem dono, o meu marido Hélio, taí uma criatura difícil de ser decifrada, uma esfinge pronta e acabada, a carecer dos melhores parâmetros de todas as ciências para ser melhor enquadrada na sua função de homem, na minha visão de mulher, não de médica, diria mesmo com um pouco da ironia que apreendi do doutor Norival, não tão sutil a minha, contudo, que se Hélio de Almeida dos Prazeres algum dia vier a ganhar as páginas da História, e a carecer de um penduricalho vocabular qualquer, como Alexandre careceu de "o Grande" para ser melhor composto em todos os seus caracteres e predicados, teríamos, sem dúvida, um personagem único: Hélio, o Esfíngico, já que nem Jesus, o Mestre dos Mestres, com a sua paciência de filho do Pai, lho desnudaria o íntimo no seu todo; nem Átila, o Rei dos Hunos, aquele que, conta a lenda, onde pisava não nascia grama, com porrada e o uso de armas teria melhor sucesso.

Não exagero, deveras. Apenas constato que anos tantos já passados de vivermos juntos e de nos amarmos tanto como no primeiro desses

DESIRÉE
a sexóloga que não sabia amar

dias, o meu esposo é um ser absolutamente previsível em tudo o que faz, e mais previsível ainda quando posto nas funções de macho, na cama, e a essa conclusão, que não a tenho como emocional, apressada, sou levada cada dia com mais convencimento de causa, desde que, aqui em Todavia, ao ouvir relatos de tantas e tão pouco ortodoxas práticas sexuais, descubro-me – como dizê-lo? – tal qual uma fêmea amadora, que, mesmo com a formação acadêmica de sexóloga, não passo de uma eterna aprendiz mal saída dos cueiros do sexo, estagiária até mesmo na proverbial trepada papai e mamãe, já que até nela Hélio tem o desempenho convencional: não me beija na boca; não me fala coisas gostosas de escutar ao ouvido; não me apalpa os peitos; esquece-se de que ambos temos língua; nem sequer me alisa a bunda; enfiar um dedo no meu cu, aí nem é bom pensar, além de que, na hora de gozar, mal se ouve dele alguma peroração verbal entusiástica, apenas suspiros frugais, como os de um bebê ressonando em berço de vime.

Ainda há pouco, vendo-o a mexer com as suas plantas e a maravilhar--se com o trololó dos seus passarinhos, como se nada mais na vida lhe despertasse a atenção neste restinho de sábado, neste finzinho de mundo, ensaiei, com o cuidado de uma bailarina amadora em um grand-plié de estreia, repassar-lhe algumas dessas elaboradas heterodoxias em práticas sexuais dos nativos de Todavia, mas senti--me como um satanás pregando quaresma: depois de falar-lhe com entusiasmo sobre o tal de "o majestoso carro alegórico", a piece de resistance do repertório da minha atendente Olinda Helena, fui deveras otimista em imaginar que o meu esfíngico Hélio largasse o que estava fazendo, mandasse às favas salsinhas e alfaces, e me convidasse a ser, nem que fosse por uns ínfimos minutos, uma simplória rainha do milho, com coroa e cetro de espigas douradas, a sentar-se no seu

Fernando Vîta

trono esférico de enrijecidos músculos e salientes nervos, a girar para um lado e para o outro, a subir e a descer como aqueles macaquinhos movidos a cordéis dos brinquedos de criança, a jogar beijinhos de mãos para uma sonhada plateia embevecida e a fazer explodir nos céus do nosso quarto de alcova foguetes de são joões imaginários...

Mas, que nada!

Ele, minha odisseia narrativa posta a termo, colheu da leira uma vistosa e encorpada cenoura e ma deu, pilheriando, com um risinho sem graça, que a sopa de legumes frescos da noitinha estava garantida...

Entreguei a cenoura, do jeito que saiu da terra, à nossa agregada Mariazinha. E vim manuscrever este prontuário. Não sei se como psicóloga ou sexóloga, mas, certamente, como mulher.

O casamento tem a seu favor a utilidade, a legitimidade, a honorabilidade, a duração; oferece-nos um prazer moderado, mas generalizado. O amor visa unicamente ao prazer.

Isócrates, ateniense, bom de discurso, daí o apelido de o Pai da Oratória. Como não há muita certeza quanto à sua precisa data de nascimento, tomemos por barato que isto se deu aos trezentos e trinta e poucos anos antes do de Jesus, o que já lhe confere uma velhice piramidal. Em Todavia, no entanto, quem melhor fala em público é um comedor de cachaça, o eletricista de nome Zeca Sereno, orador oficial da Sociedade Beneficente dos Artistas Todavianos, célebre, o bardo Sereno, por uma vez iniciar elegia a um ilustre desencarnado exatamente assim: "Sinto-me, fraco-me...". Ao final, foi muito aplaudido e parabenizado pelos presentes.

Como a feira dos sábados, em Todavia a missa matinal da Igreja Matriz aos domingos é igualmente uma assembleia que congrega hordas, grupos, matilhas, bandos, maltas, súcias, corjas, choldras, farândolas, catervas, enxames do que de melhor e de pior pode produzir a raça humana, e em sendo aos pés do padre que se caça a indispensável compreensão de Deus para pecadilhos e pecadões, admita-se que entre os que penitenciam em missas há mais vendilhões que probos; adúlteros que fiéis; falsos que verazes; egoístas que magnânimos; imorais que puros; amargos que doces; invejosos que sinceros; não fora assim, pra quê missas e por que as termos de esperar ao pé, como aos trens e às marés se aconselha, em velha e batida máxima, fazer?

Então, num dito domingo de manhã, do púlpito de adornos rococós da oblonga matriz que faz honras à padroeira de Todavia, Santa Rita dos Impossíveis, o monsenhor Giuseppe Galvani estava à leitura dos banhos matrimoniais, às proclamas

Fernando Vîta

dos que, com o favor de Deus, pretendiam vir a se casar (quem com quem; filho de qual com tal; nascidos e batizados quando e onde; a data marcada para o enlace...) a troco de possibilitar aos presentes à celebração, que porventura soubessem de algum impedimento que proibisse o matrimônio, que ali mesmo se fizessem manifestar ou calassem para sempre, impedindo que já casados ou casadas; descasados ou descasadas; pais ou mães de filhos bastardos, aqui ou alhures, viessem a contrair núpcias, naquela freguesia, com o aprovo divino, isso tudo no tempo em que se ainda casava mór das vezes perante a Santa Madre Igreja, hoje já não, qualquer bonifrate de batina e estola, qualquer sacripanta de paletó e gravata, ou até mesmo em mangas de camisa e sandálias de dedo aos pés, opera casamentos de papel passado e registro em livros a troco de mil réis, e que se fodam os sacros banhos de outrora, mas voltemos ao Galvani monsenhor, que se aproveitou da sua santa tribuna das proclamas dos domingos, à qual todos devotavam muito mais atenção que aos *kyries eleisons, dominus vobiscums* e ditames dos evangelhos, para dar contas públicas de que o doutor José Antônio Fonseca estava de malas, bagagens e arreios prontos para trocar Todavia por Cacha Pregos, após os anos e anos de muitos e bons serviços prestados como médico aos fiéis ou infiéis da sua messe, contou o padre, como se fosse grande novidade o que quase todos já sabiam; como de ordinário se dá em terras de muros baixos, Desirée e Hélio só o sabiam por ouvir dizer, ainda são altos os seus muros, mas ante a certeza certa e oficializada da mudança premente de Fonseca para marear, folgazão, na Ilha de Itaparica, por que não se valer da oportunidade para lhe retribuir, e à sua esposa, as gentilezas das atenções que lhes foram dispensadas logo que chegaram a Todavia, oferecendo-lhe lauto almoço

DESIRÉE
a sexóloga que não sabia amar

de bota-fora no domingo por vir, coisa simples, pouca gente, apenas os dois casais e o monsenhor que cuidara de lhes apresentar uns aos outros em um recôndito domingo de fim de missa, brincando lá já se vão dois anos e meses, o tempo passa rápido, célere, o canalha!, até onde a vida segue mansa, e assim foi feito: Fonseca, a mulher Cristina e o monsenhor Galvani almoçariam na casa da esquina da Rua do Espera Negro; do que pôr à mesa, cuidaria Mariazinha, boa de forno e fogão; do que encher os copos e os manter cheios, se encarregaria João Galocha, esforçado amanuense municipal que, em horas de folga, transmutava-se em elegante garçom.

E assim se fez.

Não passavam minutos das onze horas de um domingo acalorado e fusco, prenunciador de aguaceiros noturnos, quando o médico José Fonseca e a esposa Cristina chegaram, como sempre bem informais, em trajes e em gestos, à casa do geólogo Hélio de Almeida dos Prazeres e da doutora Desirée; o monsenhor Galvani se fez presente um pouco depois, tinha ido antes, com alguma dose de má vontade, ministrar a extrema--unção a um moribundo que vivia na Rua do Pau Preto; João Galocha, paramentado em calças e camisa brancas, gravata borboleta preta ao gogó, já os recebeu com espumantes copos de cerveja Brahma, bem gelada, "vamos todos molhar a palavra e celebrar as nossas virtudes", intimou Fonseca; "molhemos por primeiro a palavra, que a sede é muita e bem maior que as nossas virtudes!", contraditou o monsenhor. "E celebremos as nossas qualidades e sadia amizade, logo na sequência, que

Fernando Vîta

não nos faltará tempo para isso, hoje é domingo", disse o dono da casa, meio escabreado.

Feito o que, à sombra do frondoso pé de jaca, ao fundo do quintal, que em Todavia quase todas as casas os hão de ter, as jaqueiras e os quintais, deram início aos trabalhos de pratos, garfos, facas e copos; eles dispunham de um tudo como tira-gostos — singelos torresminhos de toucinho de porco; fibrosa mandioca frita em óleo de coco seco; tenras moelas de frango ensopadas; macias fatias de pernil de cordeiro; tostados cubinhos de lombo de boi; substanciosos caldinhos multivariados de mocotó, feijão e tutano — e de beber nem se fala, quem quiser saber que o imagine, a cerveja não apenas molhou a palavra, como predisse o vigário de Todavia: continuou a encharcá-la, como chuva chovida, domingo adentro, foi abundosa a água que passarinho não ousa tocar o bico.

Ao fogão a lenha, Mariazinha dava conta de acompanhar o cozimento da fausta feijoada completa, posta a ganhar gosto de tempero, desde a véspera, em panelão de barro de olaria de Maragogipinho, sem despregar a Maria os olhos do forno, onde um vistoso borrego de mês ganhava textura crocante, e cor de bem assado, a fogo brando. Tanto Fonseca quanto o vigário apreciavam feijoada, por demais. O borreguinho ao forno saciaria quem fosse achegado a comida mais leve, decidiu e sentenciou Galvani no domingo passado, quando o convite ao ágape lhe foi feito, e ele, mandão como todos os de batina e solidéu, achou por bem pôr ordem e variedade ao cardápio alheio.

DESIRÉE
a sexóloga que não sabia amar

As crias de terreiro do dono da casa já buscavam o poleiro quando as doses saideiras foram servidas. Fonseca e o monsenhor engrolavam as palavras, já bem molhadas, mas não punham fim à prosa. Dona Cristina, sóbria, os instava a ir para casa. Desirée e Hélio, por bons modos, insistiam que se ficassem mais um pouco, era cedo! Ainda antes de chegar à porta da rua, monsenhor Galvani tropegou e quase se esborracha ao chão de mosaicos coloridos do corredor, ao tropeçar em um gato vistoso em seu pelo amarelo-ouro, pança proeminente, o gato Bangu, que todos ficaram a saber, por depoimento pouco elegante do pároco, tratar-se de um finório malandro, um sagaz assaltante de guarda-comidas, um felino de não muito boa reputação, este Bangu, tão mal falado e sem residência certa e determinada em Todavia, expulso de tantas já fora, por malfeitorias várias, quando não a porrada, a banhos de água fervente ou a viagens às cegas, em sacos de aninhagem ou em caixas de papelão, para destinos recônditos de onde se imaginava ele jamais reencontraria o caminho de casa, só que ele sempre o reencontrava, e se não o fizesse Bangu não era.

Mariazinha já lavava os pratos e areava as panelas. João Galocha recolhia os copos.

Fernando Vîta

Interessante esse gato Bangu, de quem tanto mal falou o monsenhor Giuseppe Galvani no almoço que lhe oferecemos e ao casal Fonseca no domingo que passou; já vive aqui em casa como um verdadeiro nababo há algum tempo, sem que Hélio nem eu tenhamos registrado qualquer tipo de contrariedade a lhe manchar a reputação, a não ser que, no que diz respeito a eventuais assaltos ao guarda-comida ou outras transgressões que nos levem à desconfiança e ao desrespeito mútuos, Mariazinha esteja a lhe servir de cúmplice com o seu silêncio obsequioso e a gente não saiba da missa a metade, ela que é quem mais lhe dispensa atenção e dengo, de sorte que Bangu cada dia mais se mostra gorducho e inoperante sem que nem Hélio nem eu tenhamos que lhe devotar cuidados, tão dono da casa, como nós, ele já se acha.

Fonseca me contou, logo que aqui em casa chegou e bem antes de o monsenhor tropeçar no gato, que esse Bangu sempre levou uma vida cigana, troca de casa como as pessoas trocam de roupa, não porque isso lhe seja do seu agrado, mas por modo de que nem todos nós gostamos de nos sentir de alguma forma ludibriados, e Bangu, disse-me Fonseca, além de sonso e ladravaz manso, sempre foi um perfeito inútil naquilo que mais se espera de serventia dos gatos em geral, que é dar cabo de ratos; talvez – aventurou Fonseca, um pândego por natureza! – isso se deva a uma inusitada espécie de conluio, compadrio, consciência de classe entre dois bichos tão rivais, mas que amam em igual grau roubar o de comer, mesmo que o de comer lhe seja ofertado honestamente por quem os cria, sendo que no caso do gato Bangu, agir na clandestinidade, mesmo quando farto de estômago, parece lhe fazer parte da natureza corrompida, por isso é que – prosseguiu Fonseca – ele vive de léu em léu, como um cão sem dono, a ser expulso, na marra, daqui e dacolá, outra não tem sido a sua vida desde que

DESIRÉE
a sexóloga que não sabia amar

um camarada de nome Osvaldo Sapateiro, senhorio de Fonseca, o acolheu, Bangu ainda gatinho, a miar aflito, abandonado, em uma boca-de-lobo de esgoto de rua, em noite de tempestade, sendo este mesmo Osvaldo que, a par por primeiro dos desvios de caráter de Bangu, também foi o primeiro a tentar, por mais de três vezes, levá-lo ensacado a pontos remotos da região, com o fito predeterminado de ver-se livre dele para sempre, mas debalde, o demônio do gato sempre reencontrava o caminho de casa, e, em sendo Sapateiro um homem de formação cristã, em vez de findar-lhe a vida por meios ortodoxos – em Todavia usava-se, comumente, para isso, veneno de rato, que ironia!, ou marretadas à cabeça – optou por despejar-lhe um caldeirão de água fervente sobre o pelo felpudo e aveludado, e se Bangu não fosse esperto no fugir, Bangu já não seria e nem teria se feito hóspede de luxo em tantas e tantas outras moradas em Todavia, a do meu colega Fonseca foi uma das quais, daí ele saber tanto do pregresso viver pouco ajustado do felino quanto o monsenhor, ambos conhecem as duas metades da missa, já o tiveram em suas casas, onde Bangu igualmente chegara tão de mansinho quanto na nossa entrara, e tivera, porém, de ser expulso a porrada pelas mesmas razões que Osvaldo Sapateiro o fizera, com banho de água fervente, em priscas eras: furto, preguiça, sonsidão, desfaçatez e fragilidade moral, não necessariamente nesta ordem, e que Bangu, depois dos tantos percalços, agora tente melhor se comportar, e Deus que nos poupe, a mim e ao meu marido, de estar algum dia em recônditos desertos do que resta da mata atlântica da região, na Serra da Jiboia, a desovar gato ladino em saca de aninhagem ou em caixa de papelão usada.

Bangu, no entanto, ele e a sua vida airada, não foram os assuntos únicos e exclusivos do domingo extremamente agradável que tivemos,

Fernando Vîta

pelo menos até um pouco depois de servida a feijoada, sem que, já devidamente comidos, Fonseca e o monsenhor interrompessem os tragos, sempre tidos como "a saideira" e saideira não fossem, vão beber assim, perdoem o dizer, na puta que os pariu!, mas, contava, antes disso foi tudo de muita valia; o colega Fonseca me presenteou, logo à chegada, com algumas cuixas de sapatos, como se fichários elas fossem, atulhadas com os seus prontuários médicos, colacionados em tantos anos no exercício da sua clínica em Todavia; disse-me, com sinceridade visível, que uma vez homiziado, em desfrute de justa aposentadoria, na bucólica Cacha Pregos, não quereria jamais saber, por hipótese alguma, de notícias ou achados daquela tropa de enfermos; que eu, sua sucessora, fizesse o melhor uso que quisesse daquele calhamaço de fichas em cartolina amarelada pelo tempo, datilografadas a máquina de escrever, que a letra do meu colega não é legível como a minha, é a típica letra de médico, inclusive que o desse fim, se assim me conviesse, aí, nos meus anotados de tantos e sofridos anos de exercício médico nesta merda de cidade, disse-me Fonseca; a colega vai saber o que por certo já sabe: o povaréu daqui divide entre si, e com os próximos da região, solidária e democraticamente, todos os males de que padece: vermes à vontade; desvios de juízo de montão; falhas de caráter à mancheia; vigarice invulgar; habilidades sexuais as mais estranhas; sem-vergonhices as mais sem-vergonhas, aqui os canalhas prosperam e abundam tanto, que o nosso gato Bangu, tão mal falado neste almoço, pode ser tido como um santo de altar; foi então aí que, atento à minha conversa de médica com médico com Fonseca e sem se despregar dos cuidados com os comes e os bebes, estes últimos, notadamente, o monsenhor Giuseppe Galvani, ao ouvir Bangu ser alçado ao pedestal de santo de altar, interveio na prosa, sorridente e já meio borracho; bom filho de uma puta, este corno

DESIRÉE
a sexóloga que não sabia amar

deste gato, disse de pronto o clérigo, e Bangu que se dê por feliz, porque, perante tudo o mais que o santo padre obrou dizer sobre os de Todavia, ser tachado de filho de uma puta e corno soaria como elogio aos ouvidos do gato, mesmo sabidamente de boa bica ele não sendo.

Causou-me espécie, e também ao Hélio, que como eu mal bicara uns poucos copos de cerveja, o tão à vontade e palrador que o pároco de Todavia às tantas se mostrou, ao trazer à mesa, ainda que ressalvando que a imprescindível necessidade de preservar os segredos dos confessionários lhe permitiria falar dos pecados, mas lhe coibiria de nominar os pecadores, um bom punhado do que ele classificou como "anormalidades no exercício da vida sexual", por ele pescadas nas oitivas confessionais dos seus fiéis; detalhou algumas, cuidei, à sorrelfa, para que o garçom Galocha não o privasse da cerveja, in vino veritas, pregavam os latinos, eu, como sexóloga em início de carreira, não poderia nem deveria me privar de ter ciência de tantos e tão vários achados e sucessos, Deus meu, que gente criativa, inventiva, inovadora, esta de Todavia, no que se trata de sexo, usos e abusos, o que já ouvi no meu consultório é coisa de anjos e querubins, ante o que Galvani escuta nos confessionários da paróquia, veja, por exemplo, que utilidade um camarada faz de uma inocente mosca para desfrute de prazer: breia a taca com uma porção de melaço de engenho, põe-se em solitário em um ponto qualquer da sua casa onde moscas voem, e se presta a esperar que elas pousem e passeiem na função de moscas sobre o seu membro, fazendo-o rijo, levando-o ao gozo. Outro transa com galinha de quintal, mas não com uma galinha qualquer, apenas com uma franga pedrês que com ele já convive – maritalmente!, salientou o monsenhor – desde que a ave não passava de uma pinta de ninho. E de uma senhora, muito bonita de corpo, não de alma (a censura

Fernando Vîta

veio do seu confessor!) que em noite de núpcias, ela de porte e altura avantajados; o nobre marido, um baixote bem dotado de glande (de acordo, ainda, com o dito pelo padre!) tantas fez que quase se fodem, literalmente, ambos, ela, por ter, nos engenhos do coito, se enganchado pela vulva num dos birros pontiagudos que ornavam as cabeceiras da cama de modelo colonial; ele, por ver a sua grande glande quase destroncada do corpo, após a jovem esposa ter engendrado, com a maestria de uma circense, um salto triplo de trapézio, sem rede, em que ela partiu do batente de marmorite da entrada do cômodo em direção ao pau do marido, nele encaixando-se, via o cu, como uma mão a uma luva, sem percalços, ao menos para ela, não para ele, que quase vê, repetiu o vigário, a caceta separada do corpo, foi aí que Fonseca deu um risinho de escárnio e relembrou: atesto ser verdade, meu preclaro monsenhor Galvani, toda esta novela; lembro bem dos dois, Jorge e Isabel, lá do distrito do Cocão. Fui eu que cerzi, com pontos cirúrgicos, a boceta de Isabel, danificada pelo birro da cabeceira da cama, e com pomadas, muito jeito e gesso de encanar perna e braço, repus a tindola avariada de Jorge em posição de recuperação, lenta e acompanhada, não foi pequeno o estrago nela causado pelo pouso do apreciado cu e da bunda imensa de Isabel após o salto triplo. Quanto ao frege com moscas, é coisa de um poeta parnasiano que aqui vive e moureja em cartório de ofício, de quem não declino o nome por lhe ter entre os raríssimos amigos que aqui fiz em muitos anos.

Aí os dois caíram na risada. E Cristina Fonseca, com jeito, encontrou meios de os fazer encerrar a tertúlia e ir para casa, mais uns copos de cerveja depois, não sem antes o médico e o padre concordarem que em Todavia o simples ato de copular extrapola, e em muito, as suas reais funções, a do prazer e a de fazer filhos,

DESIRÉE
a sexóloga que não sabia amar

"aqui se fode como se brinca, há muito de lúdico no trepar", disse o padre; "e não se escolhe onde, como e quando se encaixar as partes de uns e outros nessas brincadeiras", agregou o médico.

Bangu, o gato, olhos arregalados, estava ao colo de Hélio, então. E os olhos de Hélio, bem mais arregalados que os meus e que os do vivido e rodado Bangu.

**Serve teu marido
como a um senhor e desconfia
dele como de um traidor.**

Ditado popular conhecido desde a Idade
Média. E como todo ditado popular, não tem
dono. "É como cu de bêbado", descreveu
o poeta parnasiano e tabelião de cartório
José Correa de Melo, ele próprio, emérito
desengarrafador de etílicos, profundo
conhecedor do quanto menor
é o pertencimento, e maior o uso
público dos fiofós, tanto mais bebem
os seus legítimos proprietários.

Na segunda que se seguiu ao domingo do rega-bofe oferecido ao casal Fonseca e ao monsenhor Galvani, Desirée cuidou de tomar o café da manhã bem mais cedo que o de costume; queria a médica fazer companhia no desjejum ao Hélio madrugador, este engenheiro pontual que prezava sair cedo para chegar na hora certa às minas do Taitinga, mesmo em elas em nada sendo minimamente assemelhadas às do rei Salomão; passar a limpo tudo o que se dera à véspera na casa da Rua do Espera Negro seria de muito bom alvitre, ambos felizes que os convidados tivessem adorado o ágape em todos os seus capítulos, nos bebes, nos comes e na prosa, foi um dia feliz, acordaram; Desirée se encantou com o comedimento e a polidez da mulher Cristina do médico colega, considerou os papos deste enriquecedores no dar-lhe nortes para continuar a tocar o seu futuro profissional em Todavia, valorou o fato de dele ter herdado aquelas caixas de sapatos sem sapatos, mas lotadas de prontuários médicos, para os tais já tinha planos planejados; Hélio, com modos e discrição, ensaiou algumas ressalvas às conversas do vigário Galvani, não convinha a um monsenhor, nem mesmo a um padre sem patente, sequer a um reles seminarista, fazer uso de palavreado abusivamente chulo, vezes tantas, muito menos trazer a lume, ainda que sem nomear os bois, uns poucos relatos de confissões tão secretos e picantes dos seus paroquianos; Desirée concordou, atribuiu o destempero do homem de Deus às muitas talagadas entornadas, ainda que sem esconder, num risinho de moça sapeca, o quanto aprendera dos usos e costumes dos nativos quando em embates de mulher e homem; o geólogo, mesmo de forma apressada — tinha já que ganhar a estrada — discordou, com bons modos, dos panos quentes da esposa: "imagine!", disse ele, "um camarada a lambuzar o pênis de mel de cana e a pôr-lhe moscas a patinar, em busca de orgasmo!; um casal a fazer sexo como se os dois fossem um par de malabaristas ou trapezistas, contorcionistas ou aramistas de circo, no devir não de fazer filhos, mas de buscar encaixes ou ângulos, jeitos ou trejeitos, modos e meios de contrariar as leis naturais da física quanto à ocupação de um mesmo espaço por dois distintos corpos!"; Desirée ensaiou discordar, a isso se deve apelidar — afirmou, meio na troça — de criatividade no brincar de menino e menina; Hélio rebarbou, rebateu, disse tratar-se tais peripécias de mal uso daquelas ferramentas dadas por Deus aos humanos para uso em tarefas de reprodução e não em artes de pandegar em alcovas; e já se pondo em pé, pegando o casaco e ganhando o caminho do jipe, disse à esposa, à guisa de despedida, uma frase que, mais que lhe intrigar, por tão enigmática, fez-lhe rir de si para si mesmo: "ora, veja, meu amor, não sei para que esse tanto de estripulias por tão pouca causa e mínimo efeito! Fazer sexo é uma atividade mecânica, rudimentar, repetitiva, cansativa e pouco higiênica!"

DESIRÉE
a sexóloga que não sabia amar

Doutora Desirée, pasmada e boquiaberta, não esperou nem que o marido desse partida ao motor do velho jipe, para, caneta à mão e bloco de receitar remédios à mesa, anotar, tintim por tintim, com pontos de admiração e tudo, tão inesperada e estrambólica sentença; não prezaria esquecê-la, por absurda e inédita, como máxima; dia chegaria em que poderia vir a precisar utilizá-la, não importa a que pretexto, em prontuário médico ou no que lá fosse de utilidade, vá lá saber de onde o geólogo a garimpara!, muito menos por que a trouxera ao café da manhã a dois de uma nova semana a começar, como consagrada verdade que não se explode, como lapa que não se estilhaça, dura como rocha, pesada como uma fraga de manganês; e com ela a insistir em pespegar-lhe ao pensamento foi que, pouco mais tarde, a médica recebeu em seu gabinete Olinda Helena, já com as caixas dos velhos prontuários do doutor José Fonseca postas em pilhas verticais sobre a mesa; tinha deveras esquadrinhado o que deles fazer, que uso lhes dar, era de sua mansa posse um passado de apontamentos médicos diversos a não desprezar como suportes ao seu trabalho na área da clínica geral, psicológica e sexológica, que buscava exercer, com zelo, gosto e proficiência, naquela modesta Todavia, contra o destino, o que de fazer se há de? Então, que Olinda por primeiro desse ordem àqueles retângulos de cartolina já pálidos pelo correr do tempo, classificando-os por ordem alfabética, homens e mulheres adultos em caixas distintas, crianças à parte em outras, logo que fosse à Cidade da Bahia ou dispusesse de um positivo para tanto adquiriria, em Barros & Cia., fichários metálicos de mesa para abrigá-los com ordem e decência; "e o que a doutora espera fazer desse papelório todo?", quis saber a Olinda atendente; "consultá-lo como salutar medida prévia antes de receber como cliente qualquer indivíduo; e se ele porventura já esteve, algum dia, nas mãos do generoso colega Fonseca, a mim o paciente já não me será um total estranho, dele já saberei parte do passado, queixas, queixumes, manias, agruras, agonias, paranoias, todo este apreciável viveiro de dissabores que os humanos põem na sacola e descarregam aos pés dos seus médicos, em busca de reparo e conserto, como se nós um deles também não fôssemos"; e só então pediu que Olinda Helena desse entrada ao primeiro cliente do dia, e que não era um só, eram dois: o senhor Aristóteles das Bicicletas e dona Maria Vinte e Um, exatamente assim os anunciou a atendente, igualmente assim, em dupla, como se um só fossem, eles foram recebidos e convidados a sentar pela doutora Desirée.

Pediu-lhes um minuto de licença, por favor; foi à antessala, entregou a Olinda Helena o apontamento que tomara do juízo do marido sobre fazer sexo e, sem determinar-lhe a fonte, sugeriu que ela o lesse, meditasse e se aprofundasse um pouco no seu objeto temático com vistas a uma posterior conversa, caçou nas caixas de Fonseca as fichas de Aristóteles e de Maria Vinte e Um, mas não as localizou, a balbúrdia ali era tamanha que...

DESIRÉE
a sexóloga que não sabia amar

... não será ainda desta vez que me valerei das fichas datilografadas de Fonseca como ferramentas de apoio em minhas consultas; urge Olinda as colocar em ordem por primeiro; pena que já não as possa ter em mãos, agora, ao menos as destes dois, a do Aristóteles, que aqui já esteve; a desta simpática, bonita e brejeira – diria, mesmo, sensualíssima! – negra de olhos cinza esverdeados, quarenta e dois anos a completar, Maria, dita Vinte e Um por motivos profissionais já sabidos e relatados; certamente lá nelas devem estar apontados, por meu colega, achados interessantes sobre os pródromos da vitalidade dos dois; mas não há de ser nada, depois, por mera curiosidade, haverei de as consultar, agora deixa que cuide de abrir um prontuário para esta Maria, que tem Bispo e dos Santos como sobrenomes, os numerais que se lhes agregam ao prenome soam apenas como didático e orgiástico complemento, e coube à minha nova paciente apontar-lhe a causa, que eu já conhecia por relato de Aristóteles das Bicicletas, mas deixei que ela própria desse, hoje, a sua versão, que em nada difere da anteriormente trazida a prontuário pelo seu – como direi? – parceiro, a não ser por um inexato dado contábil e atuarial que Maria achou por bem retificar: não foram exatos vinte e um os machos que ela, com exacerbado e aplicado profissionalismo, atendera com o uso múltiplo e variegado das suas partes mais recônditas, ao longo de toda uma noite de sábado para domingo, restando ainda um vigésimo segundo em plantão à platibanda da sua casa, à espera que ela voltasse da missa para também aliviar-se. Não, ela me explicou. Não é verdade. Antes da missa, foram vinte, os vinte e um do meu nome de puta foram completados pelo camarada que ficou firme à soleira no meu aguardo, justamente o Pacífico, a quem o vulgo, desde aquele domingo, satiriza, tratando-o por Pacífico Vinte e Dois, o que não deveria viger como coisa própria, próprio seria que ele fosse tratado como Pacífico Vinte e

Fernando Vîta

Um, como se meu irmão legítimo ele fosse; é preciso que se tenha toda a história bem direita, já que, mesmo em sendo uma rapariga, direita eu me julgo ser, assim falou Maria, assim faço questão de assentar aqui: foram vinte mais um, não vinte e um mais um, como contabilizou e consagrou o povo, com questões matemáticas não se deve tergiversar, vinte e um, uma coisa; vinte e dois, outra bem diversa, mas vamos ao que trouxe ela e Aristóteles às minhas mãos de sexóloga, e nada mais era que a questão transcendental que o mecânico das bicicletas já ma expusera sob formato de dúvida: se o jeito de fornicar, assim ou assado, na direção de fazer filho, como igualmente a seleção acertada da matriz ideal para tal desiderato bíblico, teria alguma relação de causa e efeito com o resultado final a ser apurado em coisa de mais ou menos nove meses depois, justamente a pergunta que Aristóteles me fizera quando da sua primeira vinda aqui, e que eu não lho pudera entregar sob a forma de resposta porque – lembro bem – enquanto eu fui lá dentro espraiar um pouco e tomar um copo de água gelada para espantar o meu estupor ante o inusitado da sua consulta, ele aproveitou-se sem mais nem menos para se ir embora, com a promessa de volta em breve, e que ora se cumpre, a tal promessa, feita a Olinda Helena, com ele de novo aqui, para a minha maior satisfação profissional, desta vez com Maria Bispo dos Santos, a conhecida Maria Vinte e Um, a tiracolo, e enxergando com os meus próprios olhos a beleza de Maria, no todo de corpo e cara, convenço-me de que a sua demanda exagerada de clientes a atender em jornada única se justifica plenamente.

O que só agora respostei?

Pus de lado por inservível o que, há horinha pouca, ao desjejum, ouvira do meu marido sobre sexo, e que neste preciso momento, sob o jeito de

DESIRÉE
a sexóloga que não sabia amar

anotação, passa pelo valioso escrutínio científico da minha experimentada atendente Olinda – e ela logo haverá de exarar percuciente parecer! – e cacei beber justamente nela, Olinda, o conhecimento de causa e a esperteza que – repito – como mulher casada ainda não tenho, para tentar guiar por bom caminho a este Aristóteles e a esta Maria, que tanto desejam ter um filho em tudo diferente do malfazejo Aristóteles Júnior, que há anos trouxeram ao mundo, aspiram agora "acertar o prumo da foda" e gerar "um puta de um filho bom, em tudo", assim clarificou Maria, com o aprovo do seu reprodutor preferido. Então, disse-lhes, peremptória como poucas vezes antes me apresentara como médica, que na hora do vamos ver fossem chameguentos, carinhosos um com o outro, criativos em todos os sentidos da palavra, que se desligassem do mundo, das coisas, dos preconceitos, das dúvidas, que se entrassem um no outro como peças de um quebra-cabeças de encaixe, de montar, não importa onde, como ou quando o jogo do trepar se desse, e fui falando, falando, me entusiasmando e me emocionando em igual medida, como se estivesse a ver passar o inteiro filme daquela minha conversa, teórica e prática, com Olinda Helena, aquela do espia quem vem, do coqueirinho, do frango assado, da gateza, de "o majestoso carro alegórico", do Dega jogador de bola do Onze Unidos, lembram?

Aristóteles disse-me que Maria haveria de voltar aqui ao consultório logo que o seu paquete não viesse. Que paquete, senhor Aristóteles, quis eu saber. "O boi, o incômodo, doutora, a regra!", disse-me o das bicicletas.

Autorizei Olinda a não lhes cobrar a consulta. E ela, mal despediu-se, com os rapapés de sempre, de Aristóteles e de Maria Vinte e Um. . .

Os sábios guardam segredo, tanto a respeito dos infortúnios materiais como dos seus prazeres.

Montaigne, nome já lembrado por demais nestas páginas. Olinda Helena, que sabe muito de tudo e de todos em Todavia, mas pouco sabe de todos e de tudo no mundo, desse tal de Montaigne nunca dantes ouviu falar nada. Nem contra, nem a favor, muito pelo contrário!

... adentrou sem carecer de convite ao consultório da doutora Desirée; às mãos ela já trazia, diligente, os prontuários médicos dos dois, localizados entre os tantos outros nas caixas de sapatos doadas pelo doutor Fonseca; no de Aristóteles, o seu nome de pia batismal, só ele: Aristóteles Arcanjo da Silva, e os demais particulares, médicos ou não, tais como altura, idade, filiação, local de nascimento, "evidente incidência vérmina de acentuado efeito de causa nas patogenias narradas pelo paciente", essas coisas cabíveis em prontuários, postas em datilografia segura, de quem sabe bater à máquina com excelência, sem retrocessos ou remendos, manuais ou não; no de Maria Bispo dos Santos, o sátiro facultativo José Fonseca adicionou o que ele próprio denominou o "nome de guerra", Maria XXI, deste modo, em romanos, de sorte que o Vinte e Um do seu codinome de puta alcançou nobreza de rainha, pompa de alteza real, áurea augusta de papisa, Maria Vigésima Primeira, assim escrito, assim dito, assim feito; feito assim também estava o apontamento de que a "Maria XXI, pelos exames laboratoriais apensados a este prontuário como se partes dele fossem, além de portadora da fausta abundância de triviais vermes, muito comuns em todos de Todavia, é senhora que abriga, com fartura símile, incontáveis agentes influentes das ditas doenças do mundo, de blenorragia a cancro mole; de cavalo de crista a sífilis, e se em seu sangue batavo maneja dar guarida a tão sortida fauna, na mata escura dos seus pelos púbicos não hão que faltar brigadas de minúsculos, mas incômodos chatos, tanto eles amam os pentelhos não tombados, mas muito expostos à visitação pública. No que dela depender, Esaú da Farmácia vai ficar ainda mais rico de tanto vender *Tetrex*, *Benzetacil* e fármacos outros à rapaziada que frequenta os baixios da nossa mais operosa messalina", registrou Fonseca, de sorte que, já em sua estreia, o legado do médico que parte na proa do nada fazer à beira-mar de Cacha Pregos, já se mostrou útil para além do imaginado por Desirée: fazer-lhe sorrir, desopilar-lhe o fígado, e foi já às despregadas gargalhadas que ela e Olinda Helena enfrentaram a tarefa de tratar da máxima de ser o sexo "uma atividade mecânica, rudimentar, repetitiva e pouco higiênica", as aspas dizem mais do que é da sua obrigação dizer: outrem, que não a sexóloga, muito menos a sua loura atendente, acha que cabe lógica pensar assim, elas não. E muito menos o desimportante que até aqui garatuja estas linhas, e ousa, desassuntado, roubar o tempo de quem as lê...

— Diga-me, doutora Desirée, por favor, de onde a senhora foi buscar tamanha asneira, descomunal bobagem, inacreditável aleive! — exagerou, no seu espanto, olhos arregalados, como se estivessem a contemplar visagens ou monstros de trens fantasmas, a atendente Olívia Helena. — De que Bíblia, de que Corão, de que Diáspora, de que Tábua de Moisés, de qual

DESIRÉE
a sexóloga que não sabia amar

dos Testamentos, de qual dos Mandamentos, de qual dos mais radicais dos veniais ou mortais enunciados de pecado, de que Mar Vermelho, de que Rubicão, doutora, a senhora pescou este desarrazoado veredicto sobre a atividade de foder, trepar, cruzar, deitar, coitar, jogar uma mão de buia, trocar óleos, ou que nome se lhe venham dar, a ciência ou o vulgo, ao mais gostoso dos ofícios, a mais saborosa das tarefas, que é foder? — prosseguiu a atendente. — Responda-me, minha doutora, com a sua ciência ou a sua vivência, olhos nos meus olhos, a senhora que alisou, com os seus fundilhos, os bancos da universidade: o que a arte de trepar tem de mecânica, se ela não obedece ao ditado por engrenagens nem polias? O que lhe se dá de rudimentar, a ela, a foda, que em moto-perpétuo se renova em fundamentos e achados como o sol se faz novo a cada dia? Repetitiva, a trepada? Deus meu, nem com o mesmo macho, nem com mais de um deles em simultâneo, no mesmo turno, no mesmo dia, na mesma cama ela se repete por igual! — argumentou. — Transar cansa? Nem o mais fatigado dos jornaleiros, nem o mais estrebuchado dos estivadores se sente cansado perante a disponibilidade de uma vulva apetitosa; nem uma mãe esmerilhada de tanto cuidar de filhos levados à breca, nem uma diarista sovada de muito lavar e esfregar os mais soturnos dos chãos de pardieiro, renega uma vistosa pica em altiva posição de combate! Pouco higiênico, foder? Cristo Rei! Tão velha quanto a Sé de Braga, tão antiga quanto o rascunho da Bíblia é a máxima que garante, com mínimas palavras mas com amplo espectro, que lavou, tá limpa, diz-se apenas das xoxotas, mas com igual valia para os caralhos, a senhora duvida? — braços abertos, cara de pasmo, voz já rouquenha após o inflamado discurso, Olívia Helena, tal qual um inflamado pastor calvinista após horas de pregação em púlpito, sentou-se à cadeira, devolveu à médica patroa, cada

Fernando Vîta

vez mais amiga, o papel manuscrito que dela recebera, para
análise e parecer, logo que a manhã da segunda-feira, ainda
com o gosto meio amargo que tem tudo que sobra dos restos
do domingo, começou a se dar.

— Com a necessária calma, com o devido vagar, hora dessas,
ainda hei de lhe contar, para seu maior espanto, de que boca
sagrada ouvi a parábola. Por enquanto, que você saiba do sermão
sem saber do padre; do milagre, sem saber do santo, disse-lhe
doutora Desirée, com um certo ar de agrado, mas meio que
com um jeitinho de Madalena arrependida, o que não lhe
tirava, em nada, a graça do sorriso, o frescor dos lábios, a luz
dos olhos. E pediu a Olinda Helena que, por gentileza, fizesse
entrar o próximo cliente, o das nove horas, e ele era o poeta e
tabelião de cartório, o tal José Correa de Melo.

E Olinda, já mais branda, e com a respiração em bom compasso,
pediu-lhe vênias para, por não saber ainda da graça do padre
do sermão, e nem da do santo que obrou o milagre, discutir a
tão inusitada parábola, a tão absurda tese com o Dega meio-
-campista, quem sabe mesmo se não mais apropriado seria
fazê-lo em tertúlia íntima, os dois, e só as paredes do quarto
e os lençóis de cambraia de linho da cama, por testemunhas?

Doutora Desirée assentiu com a cabeça. Vênias, todas elas,
concedidas.

DESIRÉE
a sexóloga que não sabia amar

Ao postigo abobadado, de péssimo gosto arquitetônico, que faz divisa entre o meu gabinete médico e a sala de espera, onde reina, absoluta e plenipotenciária Olinda Helena, vejo um tipo baixote, de terno branco de linho impecável em sua goma, gravata-borboleta de estampa florida, tropical e multicor bem-posta sobre o colarinho de popeline rosa-claro da camisa que o colete quase totalmente encobre, um tipo no mínimo exótico, é o que eu agora vejo, braços abertos como se fossem os do Cristo Redentor a querer abraçar a Baía de Guanabara, exótico, repito, o tipo, não só pelo extravagante modo de se vestir, mesmo para os padrões pouco ortodoxos usuais em Todavia, mas porque, pela cabeleira basta e o retorcido bigode já bem prenhes de fios brancos acinzentados, tingidos ao redor dos pés das fuças por uma sombra dourada comum aos que têm bigodes e fumam em excesso, semelha um poeta Castro Alves fora do seu tempo, redivivo, eis o José Correa de Melo que mo fora anunciado como o cliente da hora, ei-lo já à minha frente, a solicitar, cerimonioso, perdão por não resistir pegar as minhas mãos nas suas, as beijar repetidas vezes, as duas, em simultâneo e em separado, e, ainda de posse delas enconchadas nas suas, alçar-se às pontas dos pés, calçados em finos sapatos de cromo azul-escuro, chegar à minha altura, quase, e disparar-me uma carretilha de longos e ruidosos beijos, revezando-os, ritmadamente, em cada uma das minhas faces; o bigode, de traçado igual ao do poeta dos escravos, ao roçar-me delicadamente o lóbulo das orelhas, fez-me levemente eriçados os pelos dos meus braços, pernas e de onde mais deles o meu corpo alcovita, não sei delimitar o que senti, se o doce e ousado enlevo do gesto, se a estranheza pelo inusitado aprochegar de um cliente à sua médica, não sei bem descrever o que senti; ainda agora, já horas passadas, ao dar tratos a este prontuário, titubeio em dizer exatamente qual foi a minha sensação, se de gosto ou de surpresa, ou se de ambas em paralelo;

Fernando Vîta

tive alguma dificuldade em interromper a sequência de beijos (um deles quase acopla a sua boca à minha!), desvencilhar as minhas mãos das dele e fazer-lhe ocupar o seu lugar para que eu também ocupasse o meu; ainda agora estou desconcertada, tenho a face rubra e as mãos trêmulas, meu Deus!, a que situações mal aparatadas se expõem os que, como eu, têm as portas abertas ao mundo lá de fora.

E desconcentrada, confesso, ainda fiquei por uns bons minutos, por causa do que se passara até ali, da hora em que vislumbrei o meu cliente e o agora em que eu o tenho mais ou menos domado em seus arroubos afetivos, não de todo, tenho que dizer, já que à sucessão de beijos e afagos se seguiu o dizer empolado de coisas bonitas a meu respeito, que eu era ainda muito mais formosa em pessoa que a imaginada médica sexóloga que o preclaro amigo Fonseca lhe descrevera, e recomendara, que porte de musa!, que olhos de deusa!, que meiguice de sorriso!, que cabelos de sereia!, que tudo!, e que eu lho perdoasse os arroubos tão efusivamente escancarados, que aos poetas tudo deve ser consentido, permitido, tamanho o coração que eles trazem abrigado ao peitoral. E antes que lho pudesse dizer um ai sequer, com os olhos castanho-escuros injetados por um misto de emoção e não sei lá mais o quê, o poeta Correa de Melo sacou de um dos bolsos laterais do paletó um exemplar de um livro amarfanhado pelo uso, de que disse ser o autor, e mo apontou, com o indicador da mão esquerda, um verso, aleatório, em uma das páginas, ao mesmo tempo em que o recitava, gongórico: "Os teus seios são duas lanças/ de carnes penetrantes". E como forma de recuperar o siso, voltar a tomar pé daquela situação tão inesperada, trinquei nervosamente a campainha, quatro ou cinco vezes, Olinda Helena apareceu, solícita, à porta semiaberta, "a senhora deseja alguma coisa, doutora?", indagou-me; sim, respondi-lhe: peça a Mariazinha que mo traga um copo com água,

112

DESIRÉE
a sexóloga que não sabia amar

por favor. Feito o quê, demandei ao paciente que recitasse as razões da sua vinda, cuidando antes de registrar neste prontuário o que de praxe é mister por principal registrar de todo e qualquer cliente, seja ele poeta ou não: José Correa de Melo, cinquenta e oito anos de idade, casado, pais falecidos, nascido aos tantos dos tantos de não sei quantos...

Consulta finda, após ouvir um rosário de platitudes tais quais a carência de que eu lho indicasse uma boa medicação para a preservação dos seus tecidos hepáticos, já que se me confessava, de peito aberto, "um exagerado amante da bebida", Correa afiançou que se daria ainda por mais grato se eu igualmente lho apontasse uma mezinha, de uso permanente, qualquer delas, que lhe preservasse e incitasse, cada vez mais, ao vagar dos anos, "o gosto e a disposição por usufruir, eternamente, dos melhores prazeres da vida de um homem", disse-me, olhos fixos nos meus. Instei saber dele que prazeres seriam estes – e não podia, como médica, furtar-me a fazê-lo! – e ele mo explanou, sem cerimônias: "comer, beber e foder. E foder, principalmente, doutora", enfatizou, de uma maneira que me pareceu bem convicta, deveras. Prescrevi-lhe Hepatovit para o fígado e solicitei-lhe necessários exames de sangue, fezes e urina, e que só voltasse a mim os tendo às mãos. Ficaríamos a ver o fígado, por enquanto..., disse-lhe, com o melhor sorriso que pude dispor para a ocasião.

Trinquei de novo a campainha, agora eu já estava mais calma, embora. Olinda apareceu, pedi-lhe que conduzisse o poeta até a saída, menos por gentileza e mais por receio de que novos e efusivos ímpetos românticos lho acometessem e que uma nova chuva de carícias, abraços e beijos desaguasse sobre mim, quiçá ainda mais abundante que a de aluvião da sua chegada, que em tempestades como essas é sempre prudente, em havendo tempo e oportuni-dade, buscar abrigo e agasalho seguros para não sair toda molhadinha...

**Recusar-se a
ouvir galanteios é prova
de fraqueza denunciadora
de certa propensão
para o pecado.**

De novo o bravo Montaigne, desta vez citando uma rainha de sua época. Instado a opinar acerca, em inimaginável tertúlia de vestiário, pós-jogo, Dega, o jogador de bola, rebateu forte, de canhota: "A rainha que falou isso tem natureza de puta!".

— Doutora Desirée, minha adorada amiga, a senhora está com a cara vermelha que nem pimentão de feira! Está a sentir alguma coisa? Mariazinha, filha de Deus, por caridade, traz mais um copo com água gelada para esta criatura! — uma Olinda Helena exageradamente assustada suplicou, a partir do corredor alongado que liga o consultório à cozinha e ao quintal da casa, logo que, despachado de volta às ruas de Todavia o poeta Correa, assomou ao gabinete da médica com o seu prontuário, o das caixas do doutor José Fonseca, a cada dia mais ordenadas e organizadas, ainda à espera de que, para substituí-las, arquivos metálicos de fichas de cartolina fossem adquiridos, por portador de provada e comprovada confiança, na Barros & Cia., na Cidade da Bahia, eis já Mariazinha, afobada, copo à mão direita, açucareiro e colherinha de chá à esquerda, para o caso de precisão, água misturada com açúcar ou com Maracugina são mezinhas de muita utilidade em tais horas de estupor, apressou-se em prescrever a agregada, com a timidez própria dos que opinam sem ser instados a, mas Desirée achou por demais suficiente a pura água de bica, bebeu-a quase de uma talagada única, agradeceu

Fernando Vîta

o adjutório, era de dever e de bons modos fazê-lo, ainda que água e conselho só se deva dar a quem os pede, e em Olinda tendo pedido água por ela, mesmo sem o desnecessário conselho da adição da Maracugina ou do açúcar, a médica gentilmente agradeceu, devolveu o copo e Mariazinha à insignificância da cozinha de onde ambos partiram, sentou-se à sua cadeira já com as feições um pouco menos rubras, respirou, segundos seguidos, e indagou da sua fiel atendente: "Olinda, amiga, por Jesus, de onde me saiu esse maluco desse José Correa de Melo?" E narrou, sem carregar nos tantos nem nos conquantos, o tudo que se dera minutos antes, nesta que foi, sem o embargo de outras, a sua mais — digamos — inusitada, emocionante, e por que não dizer, romântica sessão de atendimento a um cliente, desde que, ainda jovem médica residente de hospital, passou a labutar no dia a dia com eles; e aí sem nem ao menos esperar que Olinda lhe respondesse de onde, afinal, teria saído o Correa maluco, já pegou das suas mãos o prontuário do poeta e leu com avidez os achados apontados por Fonseca; está lá, na linguagem debochada do velho médico, que "José Correa de Melo, um sacana que se diz poeta e tabelião, menos tabelião que poeta, é achegado a pingas e putas, sem destrinchar do que gosta mais, o que me dá vazo a tomar a liberdade de arbitrar, em sendo seu velho e fiel amigo: em igual dose, das duas, das putas e das pingas, é o que mais preza o poeta". E segue na mesma toada o Fonseca médico nos seus registros, historiando que "o que mais uma vez o traz à minha presença é a necessidade de saber do fígado — sem curiosar nada de seus auxiliares diretos, pâncreas e rins. Do coração, diz Correa, os poetas só os têm para poetar, e nada mais, de obrigação ou dever, dele eles cobram! — e também, como se para isso poderes ou pendores eu tivesse, e se os tivesse os usaria em causa própria não em proveito de puto outro

DESIRÉE
a sexóloga que não sabia amar

nenhum, receitar-lhe drogas milagrosas que lhe mantenham, por toda a eternidade, a dureza do pau para ele poder comer suas raparigas". Lá mais um pouco adiante, em suas linhas, retorna o doutor com detalhes pouco registráveis por desnecessários à trama, do que José Correa de Melo, na idade da hora, deveria fazer ou deixar de fazer da sua vida, e conclui com a convicção "de que, sem dúvida, nada se lhe adianta prescrever ou aconselhar que o modere na adicção à cachaça e às mulheres da rua, porque, certo como dois e dois são quatro, ele não haverá de me atender, então que ele se foda na cachaça e no mulherio por risco e conta próprios e não me torre a paciência, ele, o poeta, que por ser meu amigo já não me paga as consultas, e que, nesta data, narrou-me que, na busca de eternizar a higidez peniana, costuma açucarar a caceta com mel de cana e tenta adestrar moscas a passear-lhe em sentido de idas e vindas, da base ao cabeçote e do cabeçote à base, como forma de gozar, vejam que Epicuro, que hedonista da putaria Deus trouxe à luz nesta Todavia de já tantos malucos e desajustados de várias feituras!". E o doutor põe ponto-final ao laudo: "Perguntou-me, ainda, o xibungo do José Correa, com a cara limpa de quem quer saber que dia é hoje, ou que horas são, se tal proceder fazia mal; eu disse-lhe que, a ele não, mal não faria, mas talvez às moscas sim, estas inocentes bichinhas voadoras por certo que teriam os índices de glicemia alterados pela ingesta desmedida de tantos açúcares, e seriam candidatas certas a padecer de diabetes. Ou, de tão obesas, perderiam a capacidade e o manejo de voar e varejar em derredor de carniças".

— Pronto, agora sei mais um pouco desse arrebatado poeta sem carecer lhe frequentar os versos; do tabelião sem lhe

Fernando Vîta

folhear os livros de registros e tombos; do cidadão sem a premência de lhe esgarçar a trajetória — disse a Olinda Helena, às gargalhadas, a doutora Desirée. — É parnasiano, além de tudo o mais, o bardo de Todavia, disso eu tenho certeza! — ainda deu-se à graça de arriscar. Lembrou-se, então, prazerosa, das inconfidências de um almoço de domingo e voltou a sorrir, bonita em seu riso tão risonho, pudico, de alvares dentes. Fez-se felicidade em estado puro ao descobrir-se admirada, cortejada, desejada como fêmea. E sorriu mais ainda, agora às bandeiras despregadas, quando Olinda lhe garantiu que, no próximo encontro em alcova com Dega, não dispensaria a participação nem de mosca e nem de mel.

DESIRÉE

a sexóloga que não sabia amar

A noite sobra, o sono falta e só tenho o gato Bangu por companhia; aqui em casa, ao meu colo, posto em sossego, Bangu, não eu, ressona como uma miniatura viva de um velho tigre esculachado de circo mambembe, a quem acaricio os pelos malhados, cuja maciez me amaina e acalma os nervos; tem sido este gato errante um companheiro exemplar a me fazer suportar o passar das horas em que não me acho na labuta de médica nesta Todavia sem horizontes claros, sem ontem nem amanhãs, sem mais perspectivas que trabalhar, amealhar dinheiros, comer e dormir, ainda mais agora que, diferentemente de Bangu, meu marido se mostra cada vez mais ausente de casa e mais ausente ainda de mim e das mais elementares certidões de verdadeiro amante; confesso, sem pejo, que vezes arrisco invejar o brilho nos olhos, o ar de moça feliz, denunciadores de mulher bem comida, de Olinda Helena, sempre que, ao chegar ao consultório, antes mesmo de me desejar um bom-dia, ela me faz adivinhar a obviedade de que a sua noite é que foi maravilhosamente boa, nos braços de Dega, não lhe pergunto se com a participação do mel e das moscas ou não, se houve ou não trajetos em fabulosos carros alegóricos, espias quem vem magistrais, gatezas históricas, coqueirinhos inesquecíveis, frangos assados desmaiantes, sei lá, estas pirotecnias sexuais que tanto lho fazem bem e apegam-na ao seu meio-campista como as cracas aos cascos das embarcações; sou recatada, por demais, nada pergunto, é fato, mas com que desvelo, com que aguçada ansiedade, com que deliberado desejo lhe deixo falar, falar, contar, detalhar, esmiuçar, destrinchar e, vezes muitas até, usar dos nossos corpos jovens e excitados como cobaias de carne, osso e alma para melhor simular as suas peripécias sexuais com o amante, que ela chama de "meu cacho", mais que por inveja, garanto, que não sou, por arraigado princípio cristão, de a cultivar, ainda que apenas um

Fernando Vîta

venial pecado a inveja seja, mas por desejo, mesmo, verdade, puro desejo, de ter também o desfrute de uma completa esbórnia de dois seres na cama, de um fazer sexo com ciência e arte, diametralmente inverso ao que prega Hélio, o meu marido: não mecânico, não rudimentar, menos ainda repetitivo, foda-se se pouco higiênico, e eu não me darei por cansada nunca, jamais subjugada, em orgia que meu corpo pede, cobra, exige a cada noite, uma convencional trepada em modos de papai e mamãe que seja, Bangu por silente testemunha, Mariazinha na escola das noites, eu sozinha, e antes que estranhem o que faz o engenheiro geólogo da Arditi Minérios às ermas noites de Todavia, deixem que eu própria dê assento a este fazer dele, nestas fichas manuscritas (prontuários, diários, confissões, solidões mal rematadas, que já lá nem sei eu), espelhos em letras da Desirée e as suas circunstâncias, sem amigos, parentes ou aderentes por perto com quem abrir a alma, dividir angústias, dos mais próximos a separam os trilhos e comboios da velha estrada de ferro, os surrados vapores da Baía, um exílio que as longas cartas plenas de "estamos todos muito bem" só amenizam, apenas amenizam, mas não se fazem de ombros macios a amparar lágrimas e tristezas.

Pois, do Hélio só sei que chega quando já durmo, esgotado o que ver na televisão, só chuviscos, e o que ouvir no rádio, só ruídos, desde que deu mão de amigo com um tal de Inglês, o Inglês, como todos aqui o tratam, um estrangeiro vindo de não sei onde para sentar praça em Todavia bem antes que nós, contam que no imediato pós-guerra, compra a preço de banana todo o fumo que se planta e colhe na região, mal brota da terra, em descomunais armazéns atochados de mulheres, pagas a preço vil, faz secar as suas folhas verdes até que assumam a cor de alcatrão velho, as manoca, beneficia e enfarda em fardos

DESIRÉE
a sexóloga que não sabia amar

retangulares, que, às toneladas tantas quantas as do manganês da Arditi, chegam aos saveiros, catraias ou aos vapores da Navegação Bahiana nos trens da Estrada de Ferro Nazaré, fazem-se ao mar a partir do cais de São Roque do Paraguaçu, ganham o mundo, viram dólares, marcos e libras para os embornais do Inglês, este, que de burras anchas, gasta as horas dos dias e das noites a beber uísque, jogar tênis ele contra ele mesmo, tendo um muro de cimento como estático e mudo adversário, e a comer as mais formosas e jovens das suas mulheres a ganho de armazém, o faz onde se lhe dá na telha, sobre os fardos de fumo já prontos para o embarque, sobre as pilhas de folhas no aguardo do benefício da manoca, por trás das touceiras de bananeiras dos baldios mais vagos, onde se lhe bata o gosto e a tesão, fode umas e outras como se fosse um autômato, um desvairado cavalo reprodutor de haras na enxertia de éguas, mal arreia as calças ou desabotoa a braguilha para fornicar, finda a função, então, recolhe o pau breado, com miasma de porra fresca, e segue o seu rumo sem mais nem o quê, o Inglês, este a quem Hélio achou por bem dar mão de amigo de forma tão aprochegadamente bem-dada que, não raras vezes, ao deixar o trabalho nas minas, nem aqui em casa mais vem, se pica direto para a casa do Inglês, e quando aqui chega, com um cheiro que recende e lho toma o todo como todo, misto de fumo em natura, bosta de gentes, esperma e álcool, a Inês Desirée, esta, já está morta, o mesmo se dando com o gato Bangu e a Mariazinha, ambos, tal qual, em braços de Morfeu...

E morta ainda Desirée, Inês haverá que estar, ou fará de conta que está, às horinhas primas do dia seguinte, e do dia seguinte do seguinte, e do seguinte, e do seguinte e do seguinte outro, quando o Hélio marido, barba feita, dentes areados a Kolynos, banho tomado, cheiroso a sabonete Eucalol que faz gosto, beijar-lhe burocraticamente a testa, como se estivesse a carimbar o ponto de partida, pegar o jipe e fazer-se ao mundo das suas minas do Taitinga.

Só então é que vou receber o bom-dia de Olinda Helena e ouvir os perrengues e as façanhas dos meus clientes. E é quando a Desirée Inês se descobre ainda viva, bem viva, não morta.

Nenhuma mulher que tenha provado a qualidade de esposa desejaria ser a amante de seu marido. A afeição que usufrui como esposa é bem mais honrosa e segura.

Montaigne, o incansável pensador, que no sentir do poeta Correa de Melo tergiversa no particular. Crê o parnasiano de Todavia que "amor que fica é amor de pica. Se a pica é a do marido ou a do amante, pouca diferença faz".

Por aqueles dias, próximos das eleições municipais de cada quadra de anos, Augusto Magalhães Braga, o eterno prefeito AMB, o Três Letrinhas, o Augustinho, o voraz e insaciável caçador dos votos dos eleitores de Todavia, empenhava-se uma vez mais em os obter, não importa a que custo, para ele mesmo ou para algum pau mandado seu, e o fazia com as mesmas ferramentas de sempre: cajado de soba de província a uma mão, dinheiro à outra; o cajado, a cobrar fidelidade de quem, em qualquer época, a mais remota que fosse, lhe tenha merecido um favor, um préstimo, uma benesse qualquer, seja sob a forma de emprego público, empréstimo de merrecas em hora de apuro, vales para pegar no comércio o cimento, a areia, os tijolos e a cachaça indispensáveis para um mutirão de barraco, fosse um conselho em litígio no lar, um consolo por perda de ente, uma palavra amiga, tão valiosa, esta, vezes tantas, a saciar uma alma, quanto o pão que alimenta um corpo, pouco importa, ditava a cartilha política de AMB, deveu, há que pagar, e gratidão se paga é com voto, e tenho dito, o dia do favor nunca deve ser a véspera do da ingratidão, pregava, como

Fernando Vîta

um mantra o velho caudilho; e o dinheiro, este para bancar, à custa dos cofres da prefeitura, de churrascadas em praças de ponta de rua a cachaçadas em vendolas de distritos recônditos; de remédios para enfermos pobretões a roupas de feira para descamisados; de sapatos para os de pés descalços a dentaduras para os banguelos, deixemos igualmente por conta e afirmado que pares de óculos também se encaixavam como luvas aos narizes e orelhas dos de pouca visão, desanuviando-lhes os olhos e aclarando-lhes a consciência para não faltarem nem falharem na hora de pôr uma cruzinha na cédula eleitoral; havia que ser ao lado do nome do próprio AMB ou no de algum fulano ou beltrano qualquer que ele previamente determinasse; dinheiro e cajado são assim, dicotômicos na política, pão e circo, simpatia e prosódia de palanque de comício ou de conversa miúda, de pé de ouvido, na fronteira do balcão, tal é a funcionalidade do circo e do pão que, por esses dias aos quais nos referimos e aludimos, aligeiradamente, no momento, veio a cantar para o povo de Todavia, em praça pública, em comício monstro de fecha campanha, o fenomenal cubano Bienvenido Granda Aguillera, dito *El bigote que canta*, e a sua mais frequente companhia, a orquestra La Sonora Matancera, ele e os seus boleros, rumbas e mambos, ele e seu basto bigode, já assomado de fios brancos tanto quanto a sua cabeleira igualmente basta, que o tempo não há que poupar nenhum filho de Deus ou da puta (e Bienvenido Rosendo Granda Aguillera não nascera ontem!) do seu passar ininterrupto e ligeiro, não importa se este vive de chorar ou de cantar, filho de rapariga ou do Pai Eterno, assim é que, com boa recompensa em dinheiro, boa hospedaria e mesa farta do de comer e beber à sua serventia, a uma noite de sábado, justo para não deixar de fora da efeméride os eleitores de cabresto da zona rural em fim de feira semanal, eis Bienvenido e La Sonora

DESIRÉE
a sexóloga que não sabia amar

Matancera a encantar os de Todavia; consta que bicicletas, rádios de pilha, fogões a gás, bolas de couro e outras bugigangas foram as prendas sorteadas em bingo, era de carecer ter mais gente na praça além da que ali só estava para ouvir as canções mais românticas de todas as Américas, às prebendas do circo haveria de ser fiel por igual aqueloutra que, por desmazelo, ignorância, isolamento do mundo ou mais o que fazer na vida, antes, em tempo algum, ouvira falar do cantante de Cuba, nem do Bienvenido nem do Granda, quiçá nem da própria Cuba do Bienvenido, que dirá da La Sonora Matancera. De bicicletas, bolas, fogões e radinhos de pilhas, AMB e bugigangas iguais, sim.

Noite de cheia lua, praça atochada da Todavia de todos os estratos e matizes, Augusto Magalhães Braga discursou bonito no intervalo do bingo — e que imaginem os mais imaginosos e necessitados de imaginar do que ele falou! —, Bienvenido entregou a mercadoria mediante fora a encomenda — *Perfume de Gardênia, Angústia, Soñar Contigo* e outras canções do seu vasto repertório — por mais de hora e meia de relógio, La Sonora Matancera não desafinou na escrita das pautas prenhes de bemóis e sustenidos, palmas, urras e foguetes no todo durante e ao final do durante todo, e entre os mais encantados e enlevados por tão sonora hora e tanta d'arte e lazer, a doutora Desirée D'Anunciação dos Prazeres, que não resistira a um convite da amiga Olinda Helena para ir aos folguedos, distrair-se um pouco, ver gente, ouvir música, bailar quiçá, ela, que a cada dia se mostrava sempre mais sorumbática em Todavia, aceitara o convite de bom grado e não se arrependera de ter-se feito presente; Olinda a lhe apontar entre os passantes quem era quem entre os mais formidáveis daquela multifacetada fauna todaviense,

Fernando Vîta

ali esparramada a troco de discurso, bingo e música de graça, mostrou, ainda que a distância, o *seu* Dega, na companhia da sua legítima esposa, a professora Teresa Brito; apontou, com o beiço carnudo, realçado a carmim, dispensando o uso do dedo apontador por etiqueta e bom modo, a normalista Soninha, filha do dono da Loja Paradiso, esta Sônia normalista do colégio das freiras que, sem qualquer causa aparente, um dia despencou, inexplicavelmente, do selim da bicicleta Mercswiss que pedalava, sobre o chão pavimentado com pedras cabeças de negro, da Rua de Cima, bateu com a testa ao solo, levou seis pontos cirúrgicos, cerzidos com capricho pelo doutor Fonseca, que a atendera em emergência em seu consultório, e que, fidedigno aos fatos, pôs à sua ficha de prontuário: "a Sônia de tal caiu da bicicleta porque gozou"; a sela da bicicleta operou como se fosse um ágil dedo de mão a masturbar-lhe o clitóris, a calcinha de algodãozinho e rendas brancas a provar, molhada do entre virilhas até perto do umbigo, do mais puro sêmen de menina que goza; pontos dados, curativo feito, antibióticos prescritos, a recomendação: Sônia deveria escolher ruas de pavimentos mais planos para andar de bicicleta; Olinda Helena, em seu intento de tornar a ida da doutora ao evento um livre exercício de fazê-la mais conhecedora ainda da gente de Todavia, mostrou muito mais, em curiosidades as mais curiosas e futricas de fim de festa, entre os que vinham e iam pela imensa praça lotada, inclusive um Sizenísio coletor federal de impostos, que por hábito faz as próprias mãos trafegarem abaixo do cós das calças, em movimentos de vai e vem, onde quer que esteja, mesmo em logradouros bastantes de plateia, a alisar as suas mais íntimas partes de trás e da frente do malfeito corpo, para, em seguida, que nojeira!, cheirar os dedos das mãos com uma sofreguidão mais própria aos doidos varridos de hospício; "não sei por

DESIRÉE
a sexóloga que não sabia amar

que, doutora Desirée, ainda não meteram esse tonto do juízo em camisa de força de sete varas e não o levaram para internar na Bahia; tem mais aquela Adélia ali, mas desta, doutora, a senhora já sabe os podres, Adélia é sua cliente; mas não os sabe, entretanto, os daquele outro camarada, acolá, o da camisa Ban-Lon grená, que se apelida Elpídio Asmático, de quem se diz ter por hábito engarrafar bufas, escrever em etiquetas apostas às garrafas, hermeticamente rolhadas, a data e a hora exatas em que peidou; diz, o avoado, que vencido um ano do engarrafamento dos miasmas de seus gases fedorentos, eles, uma vez aspirados com força em suas crises de asma, as alivia que só vendo"; de sorte que valeu muito a pena Desirée sair de casa e ter ido ouvir Bienvenido com Olinda Helena, tanto que, de volta à casa da Rua do Espera Negro, as duas alongaram a noite, em conversa variada e amena, umas cervejas e tremoços postos à mesa, a sede de tanta prosa era grande, não menor a fome, Olinda só partiu para casa às horas tantas e o Hélio marido da doutora ainda não tinha chegado, por certeza certa que saíra dos seus lazeres de todos os sábados, no cuidar das leiras de sua horta no após feira, direto para a casa do Inglês, levando-lhe como mimo verduras e legumes frescos da sua lavoura insana, e que nos perdoe Raduan Nassar, que de letras e lavouras, insanas ou não, tanto sabe, quem há de saber por onde anda Hélio a estas horas?

Sozinha, no antes sono tão próprio aos que estão despertos, a médica pensou, com tristonha ironia, se já não estaria na hora de ela adquirir uma bicicleta para chamar de sua...

Fernando Vîta

Hélio, pela primeira vez desde o nosso casamento – e lá já se vão alguns bons dez anos! – deixou de dormir em casa, só aqui chegou, com o sol bem alto, quando já passava das onze e que do domingo, cheirando a álcool, amiasmado a restolhos de farra, com todos os sinais de que esteve, Deus sabe aonde!, em alguma pândega, diria mesmo que em lastimável estado de petição de miséria, seja lá o que isso busque peticionar, se mostrava o meu marido, tanto que à missa das sete tive que ir sozinha, lá na matriz implorei – na falta ao altar de protetor outro mais conceituado – à padroeira de Todavia, Santa Rita dos Impossíveis, para que me agraciasse com as luzes possíveis a me fazer clarear e entender que nó se lhe dá na cabeça, que o leva a, agora, se mostrar tão estranho e deferente em nosso relacionamento, trata-me como um bibelô de penteadeira renascentista quando me quer elogiar a formosura e o desvelo de esposa; tem-me, à cama, como se eu fosse um objeto inanimado, quando, e se lhe dá na telha, resolve me fazer de mulher, se ele – e hoje, após minha vivência no tratar dos meus clientes em Todavia, sei! – nunca foi o que comumente se qualificaria como um camarada bom de cama, inquieto, sacana, putanheiro, agora entra em mim com a burocracia e o formalismo de um juiz de paz, como se eu fosse uma boneca inflável, dessas que os solitários adquirem pelo reembolso postal, recebem-nas dobradinhas e ensacadas, iguaizinhas a toalhas plásticas, e em vez de descascar uma punheta quando em estado de carência de mulher, é só as inflar e as desfrutar em transa de mentirinha, assim tem sido o nosso viver afetivo de fancaria, já não me lembro de quando tive um gozo pleno com o meu homem, tirante daí as vezes em que, seca de sexo, igualmente busco o mesmo reparo dos solitários das bonequinhas infláveis, valho-me dos meus dedos, que eu não sou de ferro nem aleijada, até com um pepino da nossa rocinha doméstica enfiado nas partes já me distraí, mas que

DESIRÉE
a sexóloga que não sabia amar

eu estou feliz, ah, não estou não; aproveitei-me, então, de o monsenhor Galvani estranhar a ausência de Hélio à missa, quando lhe fui beijar a mão à sacristia, para pedir-lhe que, em hora oportuna, me recebesse em particular, tinha que lhe merecer uns tantos conselhos, mais que bênçãos, ele se pôs às minhas ordens, como pai e pastor, disse-me, e que eu dissesse a hora, o dia e o lugar que ele seria todo meu, assim mesmo, todo meu, foi como ele falou, passando as suas mãos beatíficas sobre os meus cabelos, beijando-me as faces como sempre o fizera, a cada domingo, após a missa; combinamos então o sábado seguinte, depois do almoço, à casa paroquial, a dele; à minha me vi de volta à solidão do domingo, aproximávamos das onze e nada de Hélio.

Do sábado na praça, nenhum reclamo, nenhum queixume, vi e fui vista por gentes; a companhia de Olinda Helena me é sempre muito divertida e agradável, sabe tocar a vida, esta moça, não se dá por dona do amante nem quer que ele igualmente lhe cobre a posse, tão bom quanto os folguedos todos e o show do Bienvenido foi poder conversar com Olinda, abrir-lhe um pouco o meu coração de mulher, falar do meu estágio de solidão a dois, e quanto mais tardava Hélio a chegar em casa, mais confidências trocávamos sobre as agruras da vida de casada e as liberdades e os descomprometimentos da vida de solteira, não as esmiúço por desnecessidade, todos sabem muito disso, as "todas" é que muitas vezes sabem de menos, Olinda mais falou, eu mais a escutei, e quando me deitei e custei a pegar no sono, refleti sobre a minha vida com o meu marido, aqueles tórridos tempos de Todavia, que só se davam mais por seu emprego de geólogo naquelas minas da Arditi, aonde nunca pus meus pés, e aonde nunca pretendo os pôr, diria até que, casamento à parte, certamente como médica estaria muito mais bem atuante e paga na Cidade da Bahia, mais clientes, mais chances de evoluir na

Fernando Vîta

profissão, convivendo com minha família e meus amigos, poucos estes, mas bons, solidários, e de lambugem, bem distante desse viver menor de cidade pequena, que, se perpétuo, por certo nos apequenará de igual forma, mas deixemos de escrever achados de uma mulher que divaga num prontuário sem cliente, aliás, com uma cliente que se automedica, eu mesma, doutora Desirée D'Anunciação dos Prazeres, a se queixar a si própria dos prazeres que lhe faltam, tenho que pôr um ponto-final aos meus males, eis o diagnóstico, doutora, agora, que é dos remédios?

Ah, antes que me esqueça, que aqui se registre que, no show da praça, dei de cara com o poeta Correa de Melo, fez-me festa de princesa, o bardo, tacou-me beijos às bochechas, não fosse o burburinho do povaréu e ele me teria recitado odes, não fossem os olhares curiosos em nós dois sei lá o que ele faria, tal o seu efusivo arrebatamento, se nem tudo são flores, tenho que admitir que também não são apenas os espinhos que me ferem a alma nesta Todavia que me é tão sur-real e estranha, ainda, como muito estranha e surreal foi a notícia que mo trouxe o meu primeiro cliente do dia seguinte, a de que...

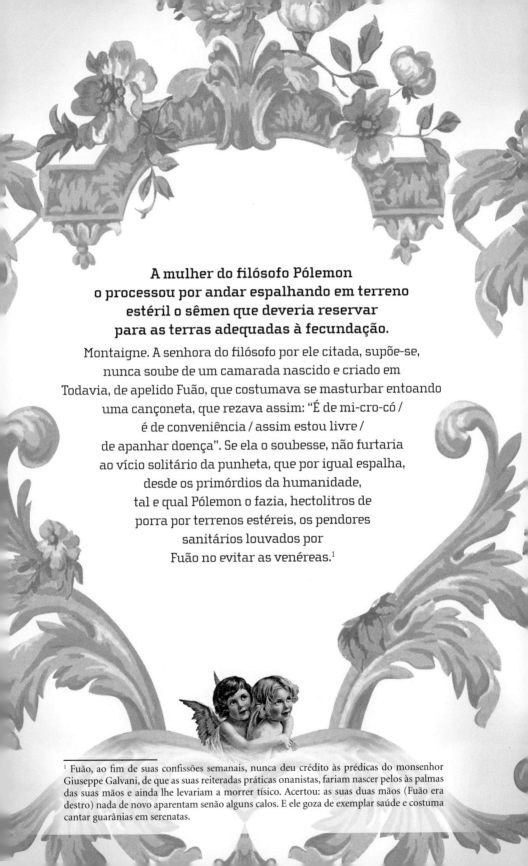

A mulher do filósofo Pólemon
o processou por andar espalhando em terreno
estéril o sêmen que deveria reservar
para as terras adequadas à fecundação.

Montaigne. A senhora do filósofo por ele citada, supõe-se,
nunca soube de um camarada nascido e criado em
Todavia, de apelido Fuão, que costumava se masturbar entoando
uma cançoneta, que rezava assim: "É de mi-cro-có /
é de conveniência / assim estou livre /
de apanhar doença". Se ela o soubesse, não furtaria
ao vício solitário da punheta, que por igual espalha,
desde os primórdios da humanidade,
tal e qual Pólemon o fazia, hectolitros de
porra por terrenos estéreis, os pendores
sanitários louvados por
Fuão no evitar as venéreas.[1]

---

[1] Fuão, ao fim de suas confissões semanais, nunca deu crédito às prédicas do monsenhor Giuseppe Galvani, de que as suas reiteradas práticas onanistas, fariam nascer pelos às palmas das suas mãos e ainda lhe levariam a morrer tísico. Acertou: as suas duas mãos (Fuão era destro) nada de novo aparentam senão alguns calos. E ele goza de exemplar saúde e costuma cantar guarânias em serenatas.

... eram fajutos, farsescos, tanto o Bienvenido Granda quanto a La Sonora Matancera que o acompanhara a Todavia, por obra e graça do prefeito Augusto Magalhães Braga, ele nada mais era que um sujeito da Propriá do Sergipe, que apesar de cantar muito bem e de dispor de voz, bigodes, aparências e repertório símiles ao do cubano, cubano não era, sergipano sim, e se chamava Sebastião, codinome artístico Tião Salseiro; ela, a Sonora assim tida, não passava de afinada orquestra da Piranhas das Alagoas, que em circos, quermesses, puteiros e sabatinas musicais de toda a região banhada pelo rio São Francisco, atendia pela sugestiva graça de Los Românticos del México; a farsa teve deslinde já no domingo mesmo, quando o Bienvenido e a Matancera de araque se apresentavam no Cine Rio Branco da vizinha Nazaré das Farinhas, não de graça como na praça de Todavia no sábado, mas a custo de disputados ingressos pagos; uma dupla de detetives da Polícia Civil de Pernambuco, à paga do empresário do vero Granda e da Sonora verdadeira, retirou, na tora, os farsantes do palco, no meio da belíssima interpretação de *Angústia*, sob os apupos do distinto público, não aos

Fernando Vîta

artistas, que a bem da verdade se diga, mas aos dois esforçados secretas, e os levou, em nome da lei, em uma perua radiopatrulha, para a Delegacia de Jogos, Costumes e Defraudações, na Cidade da Bahia, o que se fez deles depois foge ao nosso faro, é questão de justiça que só à justiça cabe deferir, certo é que, quando o poeta José Correa de Melo adentrou ao consultório da doutora Desirée, antes mesmo dos beijos e afagos que eram de seu feitio lhe aplicar, já lhe escancarara a novidade mãe da segunda a começar, eram de mentira o Bienvenido Granda e a Sonora Matancera que AMB, em empreita eleitoreira, trouxera a Todavia, um do Sergipe, outra das Alagoas, não de Cuba, nem um nem outra, vale repetir para os de memória parca; o alcaide havia sido engabelado em sua boa-fé, adquirira gato por lebre, e o povo na praça engolira lebre por gato, que se há de fazer?

O poeta trazia às mãos um envelope pardo, dele sacou não os exames laboratoriais que a médica lhe solicitara em consulta ida, mas um alentado poema escrito em caligrafia cursiva, própria aos amanuenses e tabeliães de ofício, eram-lhe dedicados, os versos, pedia vênias para recitá-los de viva voz, e o fez com maestria, zelo, ênfase, prumo na métrica e um bafo de cachaça terrível, inhaca de boca muito comum àqueles amantes de Baco que usam, já ao escovar matinal dos dentes, os arear com pinga de tina de alambique. "Verso para o mês de agosto", denominava-se a ilíada de Correa. "Neste mês onde se contam / Trinta e uma noites, / Nas alcovas escuras, / Pecaminosas, / É justo, fiquemos assim, / Como dois gêmeos, / Para sempre unidos / Neste mar de rosas / Nada de sombras / Nem contrariedades / Nada de tristezas / Neste belo rosto / Vamos ficar da vida / Nos prazeres / Ficando nós / Somente assim / A-gosto", abriu

DESIRÉE
a sexóloga que não sabia amar

os braços ao findar a peroração, era um dia comum de um setembro qualquer, mas Desirée não dissimulara ter gostado dos versos, pediu ao poeta que os repetisse em tom de lírica declamação, e ele o fez, e ela o aplaudiu, de pé e sensibilizada, pediu-lhe licença para beijar-lhe as mãos que obrara odes tão sublimes; o bardo de "Verso para o mês de agosto" não se fez de rogado, negou-lhe o ósculo às mãos, ofertou-lhe os lábios, ela tentou refugar, mas ele a enlaçou em candente abraço, tascou-lhe um longo e demorado beijo na boca, bigodes e línguas se debateram, se misturaram, por uns furtivos segundos, titubeantes, inseguros, oscilantes, até se consubstanciarem naquilo que comumente se diz ser coisa de cinema, e, à coisa de cinema finda, findo não estava, ainda, o filme; Correa de Melo quis repique, Desirée o afastou com os braços, perguntou se ele estava louco, ele respondeu que sim: "louco por você, deusa doutora, doutora deusa", voltou a abraçá-la ainda com mais desmedido e incontido fervor, beijou-a mais uma vez, línguas e bigodes agora se misturaram por mais segundos e menos titubeios, inseguranças, oscilações, furtivos eles então já não foram, "o senhor está maluco, seu José", replicou Desirée; "estou, devo confessar, desde a primeira vez que lhe vi", ele rebateu, "mas eu sou uma mulher casada", "eu sei", ele disse, "contudo não sou homem de ter ciúmes"; "meu Deus", pensou, clamou e o disse em voz alta a médica: "estamos em um consultório médico, o senhor e eu, se contenha, por tudo que lhe é mais sagrado!", rogou, "não posso, minha doutora, doce Desirée dos meus pecados, não posso, não aguento mais, faça-me uma caridade, fique justo como está agora, aí, quietinha, nada mova no seu corpo, seja por meros instantes o que as deusas merecem ser à eternidade em seus olimpos, uma estátua, a ser vista, adorada, apreciada, nunca possuída, fique onde está, não

Fernando Vîta

se mova, doutora!", suplicou, "de nada mais careço", e feito o que se postou o poeta a um canto da sala, abriu a braguilha da calça com o descontrole cego dos loucos que não gerenciam suas loucuras e tascou uma punheta, um velho ensandecido virando menino bronheiro, que cena!, estéril sêmen esporrado em terreno infértil por um Pólemon versejador de província.

Recomposto, aliviado, de novo sentado em seu posto de cliente em frente à doutora, esta, de ar assustado, olhos esbugalhados, em transe, ainda ouviu o poeta indagar-lhe algo assim como se ela, a doutora, em sua ciência, porventura conheceria as preferências culinárias das moscas, e se entre elas, haveriam castas específicas mais apreciadoras da excelência dos melaços de cana de engenho; entregou-lhe os resultados dos exames que fizera como se aquela consulta estivesse a se iniciar naquele instante mesmo; Desirée os examinou, atenta e diligente, como se voltando de um sonho troncho não sonhado, mas, ainda assim, encontrou eixo para prescrever-lhe mezinhas para o fígado; "até a próxima, doutora", "até a próxima, seu José Correa, passar bem o senhor", "passar bem a senhora", "vou me assenhorar mais aos poucos, seu Correa, sobre essa questão do gosto das moscas, indo aos compêndios apropriados, e nos falamos depois", permutaram beijos comportados às faces e se foram, um para um lado, para o outro, o outro.

Olinda Helena e Mariazinha foram, de imediato, requisitadas ao consultório da doutora; a primeira, para ouvir a história do que se passara; a segunda, para passar um pano molhado na gosma deixada ao chão pelo poeta, sem contudo ouvir a história do

DESIRÉE

a sexóloga que não sabia amar

que de real se passara, mas, curiosa, esfregão à mão, decretou: "doutora, esta desgrama com jeito de golfada de bebê novo e cheiro de desinfetante Qboa é porra de macho!, e a senhora que me diga como esse estrupício gosmoso foi arriado aí", então...

Fernando Vîta

... mais do que correndo eu me vi forçada a tomar pé na situação, bradando para Mariazinha que a conversa ainda não houvera chegado à cozinha, que ela se recolhesse à sua insignificância de serva e tratasse de limpar o vômito do gato Bangu, menti; certamente o vadio comera alguma lagartixa peçonhenta e passara mal, persisti, não a devo ter convencido sobre a natureza nem a origem – para usar o seu próprio dizer – do "estrupício gosmoso" recém-limpo a água e sabão líquido, posto que, a ouvi marchar, a mocinha desaforada, em passo de marcha batida, de volta aos fundos da casa, a repetir para si própria, como se um mantra fosse: "que é porra, é; é porra de homem, sim, ou eu não me chamo Mariazinha"; fiz de conta que não a escutei e apressei-me em abraçar-me fraternalmente a Olinda Helena, esta já em estado de insaciável curiosidade feminil, todos sabem como nós, as mulheres, somos agudas em querer saber das coisas que se passam mal elas acabam de passar, justiça seja feita, o açodo de uma fêmea em contar sucessos não é menor que o da outra em querer sabê-los, assim as coisas são, e eu despejei aos ouvidos da minha atendente o fuzuê por inteiro, nada lhe olvidei do todo acontecido pouquinha hora atrás, do momento exato em que ela desovara o cliente José Correa de Melo em minha sala e, às suas costas, fechara a porta, até o instante preciso em que ele, serena e calmamente, aliviado até, diria, deixara o consultório, pagara os meus honorários e ganhara as ruas de Todavia.

– O que, doutora, não me diga que o batoteiro chegou a tanto; o sei operador de outras batotas, muitas, alhures, mas jamais imaginaria que ousaria fazê-las aqui, em Todavia, onde todos o respeitam, consideram e reverenciam, e ainda por cima em nosso consultório!; Jesus, o mundo está perdido, é a proximidade do Armagedão que se prenuncia!; anos atrás o puto, em folguedos de micareme, em Afonso

DESIRÉE
a sexóloga que não sabia amar

Pena, traspassou uma vidraça de vitrine de loja de confecções femininas e, nu em pelo, atracou-se a um manequim de gesso, rasgou-lhe em fúria as vestes, as langeries mais íntimas e intentou copular com o manequim, às vistas dos passantes, ocupando o vácuo oco e sem vida das suas pernas com a chibata em riste, foi uma confusão dos pecados, depois levaram o manequim para lavar as nojices de Correa, que lhe brearam do baixo-ventre aos pés; quanto ao seu Correa de Melo, calças às mãos, foi conduzido em passeata até a cadeia pública, escoltado por um cabo e um soldado raso, de lá só saiu quando se viu curado da carraspana, a custo de muito banho frio e cafungada em amoníaco de padaria, só não levou porrada no cachaço, como costuma acontecer sempre que a polícia coloca a mão num desordeiro, porque logo se soube tratar-se de um homem de bem, cachaceiro, embora, mas um homem de bem; ele pagou em dinheiro o banho a sabonete na boneca da loja e as custas da reparação da vidraça da vitrine, e só então se viu em liberdade para pegar a condução e retornar, todo cabreiro, a Todavia; até que saiu em boa conta, barato mesmo, em nível de custo e benefício, o preço da travessura, mas me diga, minha doutora, e a senhora, o que fez então, por que não me gritou acuda aqui d'el-rei? Por que não sentou uma porrada às fuças do tratante?

– E eu sei lá, Olinda Helena, e eu lá sei o que eu fiz, o que eu deveria ter feito e não fiz, o que fiz e não faria de novo, o que fiz e repetiria, sei lá, Olinda Helena, olha só aí na mesa o poema que ele me dedicou e leu em estado da mais pura emoção, e a meu pedido o releu, isso antes que os prolegômenos dos nossos beijos e abraços o levassem, em delírio de amante em primeira noite, a masturbar-se como um maluco, uivando no gozo tal qual um urso das estepes em jaula de circo russo, e ainda por cima com os olhos de celerado cravados em

Fernando Vîta

mim, eu ali parada, estanque, feito uma estátua de pedra como ele mo pedira, sei lá o que me deu na hora, sei lá o que me dá agora, sei lá o que me dará depois do agora? Preciso voltar a assentar os pés no chão, Olinda, ainda pareço flutuar, sentir-me desejada me fez bem, confesso-lhe; ser beijada com ardor, mais ainda; ver um poeta usar a mesma abençoada mão que escreve versos para possuir-me, a distância, como se uma deusa eu fosse, trouxe-me uma sensação indescritível de estar viva e bela como fêmea, e que Bangu me perdoe por culpá-lo pelo que não fez, logo ele, um gato que já paga caro, muito caro, pelo que faz e pelo que deixa de fazer nesta cidade de bosta...

Não indaguei de Olinda Helena, mas que tive uma curiosidade, tive: a de saber se o poeta houvera deixado agendada uma nova consulta.

PS1 – Não contei a Olinda, por puro esquecimento, mas aqui deixo o registro de que o lírico punheteiro, antes de pôr mãos à obra, encareceu-me que colocasse o tensiômetro sobre o bureau mas que não tirasse o estetoscópio do meu pescoço, lá vá entender-se o que se passa à cabeça de um poeta...

PS 2 – Estes meus prontuários médicos estão se tornando cada dia mais perigosamente confessionais. Preciso trancá-los à chave. Assim que chegarem os fichários novos, já devidamente encomendados à Barros & Cia. para abrigar a "herança" que recebi do doutor Fonseca, por certo haverá de sobrar espaço para guardá-los em segurança.

Os deuses proveram-nos
de um órgão que não conhece a
obediência e que nos tiraniza.

Platão, filósofo grego, parido mais de quatro
séculos antes de Cristo, outro que sai dos
seus cuidados para obrar regras neste insano
compêndio. Monsenhor Giuseppe Galvani,
homem pragmático e pouco afeito a
platitudes, traduz com luminar simplicidade o
que o mestre de muitos filósofos
porretas quis dizer com doses de
exagerada ciência:
"Pau duro, juízo no cu".

*La donna è mobile, qual piuma al vento / Muta
d'accento, e di pensiero / Sempre un amabile, leggiadro
viso / In pianto o in riso, è menzognero...*[2]

Assim mesmo, espírito em festa, sorriso largo, olhos espertos aos solfejos teatrais, em voz, sotaque e acentos dos dialetos dos porrilhões de emigrados daquele Reggio di Calábria da Itália farto em espalhar pelo mundo afora o que a ponta da bota (que assemelha chutar, nos mapas do mundo, com o seu oblongo bico, o Mediterrâneo, e com o calcanhar disforme, o Jônico que a separam da Sicília, levando mares afora a ilha com Catânia, Siracusa, seus *pirandelos* de boas letras e tudo mais de divino que ela comporta dentro!) produz de pior, guardando, por lá mesmo, com zelo exacerbado, o de melhor (afora Nicola Mirasi e Francesco Silverio Salfi, os seus *pirandelos* das formidáveis escrituras, excelentes vinhos de raríssimas cepas — *greco nero, nero d'avola, gaglioppo, castiglione* —, competentes *capos* de máfias e suas eficientíssimas *lumparas*, para ficarmos em poucas amostras!), aportemos, pois, sem delongas ao monsenhor Galvani, exemplar raro e único desses calabreses legítimos,

---

[2] A mulher é móvel, qual pluma ao vento / Muda de voz, e de pensamento / Sempre um rosto adorável, e gracioso / Em lágrimas ou riso, ele é mentiroso... Verdi, *Il Rigolleto*, ato três.

Fernando Vîta

expatriados, voluntários ou não, a vir sentar praça em Todavia pelas graças da Santa Madre Igreja, justo ele que agora recebe a doutora Desirée em casa, vestido numa rala batina de linho creme, das que os clérigos usam envergar quando longe dos altares e confessionários, ou seja, a maior parte do tempo de suas boas vidas, folgados aldrabões que são na maioria das vezes; pois é, estava ali o monsenhor calabrês a solfejar *Il Rigolleto* de Verdi, era sábado, fim de tarde, conforme prévia combinação, beijou-lhe a mão Desirée, beijou-lhe as faces o monsenhor, "a que devo tão súbita honra?", festejou, "a honra é toda minha!", humildou-se Desirée; "sentemos e conversemos", então o de batina apontou-lhe uma cadeira de espaldar alto e almofada lilás e macia, e certificando-se da hora no seu patacho de bolso, ofereceu-lhe e a si próprio vinho tinto, suave, garantiu, "ajudará a fazer da prosa coisa farta e boa", justificou, "vamos, diga, minha querida doutora Desirée, o que a traz à nossa mansarda, pequena, deveras, para abrigar tanta beleza, tamanho saber?"

Com a palavra — e já quase a destempo! — esta Desirée, que até então pouco palavreara e muito menos solfejara em dialeto italiano ou não qualquer ária de ópera, limitara-se apenas a lisonjear em resposta aos rapapés do vigário; ela, já devidamente abancada à poltrona que lhe fora destinada, trajada em conjunto bem assentado e elegante, ainda que discreto, de saia e blusa de seda fina, azul-claro sem estampas a saia, rosa estampada em graciosos miosótis a blusa, curtas e cavadas as mangas desta, menos curto o comprimento daquela, sandálias de tiras de couro em cinza escuro expunham seus pés bem-conformados, o manear dos braços e da cabeça publicizavam um busto merecedor do cinzel de um inspirado Michelangelo, o cruzar

DESIRÉE
a sexóloga que não sabia amar

tranquilo e sem afetação de suas pernas morenas e de bom torneio já atraíam os esgares dos olhinhos inquietos, nervosos e perscrutadores do monsenhor Galvani (os olhos dos curas de freguesias, é bom que se registre, fabulam enxergar com gosto o que há de mais belo entre os céus e a terra desde os tempos memoriais de Eça!); assim, deixemos que Desirée fale, foi a isso que ela aqui veio, os trololós dos passarinhos do viveiro eclesial da casa do pároco como apreciável cortina sonora, então a doutora médica reportou ao monsenhor que o seu Hélio marido de há tempo que não se dava de consorte, fazia da casa do Inglês mais pouso e repouso que a sua própria, dera-se a hábitos novos de farrear com frequência, seu mundo de agora tem dois nortes, as minas do Taitinga para laborar, a casa do Inglês para pandegar, Deus sabe o que ele tanto faz por lá, ao que o monsenhor Galvani lhe pediu vênias para interromper-lhe as lamúrias: "Deus e eu, minha jovem e querida doutora; Deus e eu, Desirée, sabemos; bem provável que eu saiba mais ainda que Deus, já que detenho sem sócios os segredos dos que aqui confessam, e dos que fazem pouso à casa do Inglês, como o próprio estrangeiro, quando o torpor do fogo dos infernos lhes atemorizam os espíritos, é aos meus pés de confessor que se fazem verbo, abrem o peito, se confessam dos seus malfeitos, eu os penitencio com mão de austero pai espiritual, sapeco-lhes récitas de santos ofícios e debulhas de contas de dezenas diárias de terços, lá sei eu se lhes baixa ou não à consciência de cristãos algum arrependimento, porque, semanas, às vezes idos poucos dias depois, ei-los aqui a me atormentar com os mesmos pecados, os mesmos vacilos de reincidentes contumazes; o pouco que lhe posso dizer, criatura divina, preservando o segredo de confessionário que me cumpre guardar até a morte, é que esse Inglês é uma reedição do Diabo na terra, e que a sua casa

Fernando Vîta

faz a Gomorra e a Sodoma dos tempos bíblicos se parecerem a sagrados conventos de pias freiras, tamanha a esbórnia que ela sedia, e entenda-se por esbórnia, minha preclara doutora, a senhora que já não é mais tão criança em sua juvenil e bela existência, bacanais homéricos, putaria, a mais rala e escancarada putaria, com o agravante de que consta que o seu mentor principal, o tal do Inglês, confere aspectos dantescos a essa putaria, cada dia mais pública em Todavia, já que de muitos é sabido que ele, a exemplo do apregoado serrote de Santo Antônio, corta de igual e eficiente modo dos dois lados, tanto quando vai de frente, quanto quando vem de ré, o mesmo que fazem as bandas de fio de corte das giletes, se é que a minha bela Desirée percebe e capta o sentido da minha parábola, e se a não percebe na sutileza, que me permita mais uma vez trazer ao chão do vulgo o que quero lhe dizer: o Inglês dá o rabo, é hermafrodita de berço, com o agravante não raro aos veados de ofício de que tanto aprecia dar o seu próprio cu como comparecer aos cus dos seus parceiros, o que, no entanto" — e a esta altura, a narrativa arfante de Galvani equivalia plenamente à inquietude maior de Desirée, no manear de braços, no cruzar e descruzar de pernas — "não o impede de, por ser diverso e insaciável em suas trampolinagens de franchona assumido, também manter, em desfrute próprio e de seus amigos, um harém de apreciáveis mulheres, sem cobrar-lhes idade, cor, estado civil ou asseio, as recruta com olhos de conhecedor, com dedos de especialista, em seu armazém de beneficiamento de fumo; assim é a casa do Inglês, porque assim ela sempre foi, assim é e assim sempre ela será até que o Capeta o recrute ao quinto dos seus mais profundos infernos", ao que a doutora Desirée se pôs de pés e com as duas mãos repôs em ordem as plissas da saia: "o que, monsenhor Galvani, o senhor me diz?",

DESIRÉE
a sexóloga que não sabia amar

indagou, incrédula, estremunhada, boquiaberta, mas com um sorriso, ainda assim e vez por outra, de certo alívio, por saber da vida do marido Hélio, o que o próprio Hélio marido não lhe contaria jamais.

Predisposta a dar por encerrada aquela conversa, que de certa forma, pelo que desnudara, lhe apanhara de surpresa, levantou-se, pegou a pequena bolsa de mão que portava e já ensaiava os ademanes de gratidão e despedida ao monsenhor Galvani quando este, paternal e solene, pediu-lhe, com leve toque ao ombro, com fugaz e disfarçado abraço de solidária cumplicidade, que mais ficasse, havia mais o que ouvir, havia mais o que falar, além do que, ainda acima da metade do seu rubro e encorpado conteúdo estava a garrafa do *nero d'avora* de Calábria que ele mal acabara de abrir para celebrar tão alvissareira visita, assim, e por uma questão de bons modos...

Fernando Vîta

... atendi ao monsenhor e voltei a sentar-me, enquanto ele, solícito, reabastecia as nossas taças com esmero e apuro de sommelier de vinícola de França e zelo e trejeitos de garçom de palácio de Florença, ao tempo que convocava as duas moçoilas que lhe coabitam a casa paroquial, Gisela e Verona de nome, a dar tratos a uns de comeres e de beberes apropriados ao deguste do vinho, e quando elas chegaram, graciosas meninas em alvas vestes de serviçais e coquetes ao cabelo, com bandejas prateadas ocupadas por tábua com tacões de varietal de queijos de boa procedência, côdeas de pão caseiro de trigo puro, terrinas de geleias e patês, garfos e facas compatíveis com o que lhes competia cortar e nos trazer à boca, e mais outras taças menores, de puro e vero cristal, para nos servir de água mineral da Fonte da Bica de Itaparica, já o monsenhor Giuseppe Galvani arrastara uma outra cadeira de espaldar alto e almofada macia, fizera-se ainda mais próximo a mim, de sorte a encarar-me frontalmente nos olhos e ter manejo discreto das suas mãos em demanda às minhas ou aos meus joelhos, onde eu tentava fazê-las espraiar em sossego. "Sabe, Desirée?", ele me disse, na sequência a uns tintins de brindes à nossa saúde, ao bem-estar dos povos do universo, à fé cristã do mundo, mas, sobretudo, para além das minhas qualidades de médica dedicada, à formosura de mulher que eu era; "sabe, Desirée?", ele me sussurrou, candidamente. "A vida há de nos ferramentar no suporte aos reveses, e os do amor são os mais terríveis de evitar, porque eles começam e se findam no sexo, justo em partes anatômicas dos nossos corpos que não respeitam aos comandos dos seus donos, sejam eles homens ou mulheres, são tiranas as porções pudendas de que falo e que você, tanto quanto eu, lhos sabe os nomes e os sobrenomes, não carece que eu lhos diga, de forma que à carência de obediência patroa, que cada um cuide de ter bem assente o juízo para não cair nas armadilhas do destino, nas arapucas

DESIRÉE
a sexóloga que não sabia amar

do demônio ou nas esparrelas do desejo, assim é que as coisas são, humanos de carne e osso que somos, falíveis e vulneráveis a derrapadas do desejo não contido desde que Adão dobrou-se à maçã de Eva, depois tem mais o acidente de percurso vital que é se viver em Todavia, uma cidade com cara de nada, mas que, justo por isso, nos destrava emoções as mais insondáveis, uma incontrolável propensão ao pecado, ao malfeito, dá para imaginar o que você já viu e ouviu nos seus dias de Todavia, quisera eu, além do meu assento em confessionário de igreja, ser uma simples mosquinha silente, pousada à parede mais discreta do seu consultório, minha doutora, para mais que ver, ouvir, o que você vê e ouve dessa gente destrambelhada que aqui habita, o que já sei, não sendo mosca mas padre, é uma boa amostra do cardápio de aberrações a que o sexo leva, nas corriqueiras práticas dos nossos paroquianos, de maneira que, em sendo Deus misericordioso, que o seu marido, useiro e vezeiro na frequência à casa do Inglês, que em lá estando e, no seu dizer, quase que já lá habitando, mantenha a nobreza da categoria de macho aparente que ostenta, e não sucumba às artes pouco ortodoxas do Inglês, sabidamente um adepto de Safo, um aplicado discípulo do Marquês de Sade, e que já não esteja a essa altura também o seu Hélio, como ele, a apreciar levar na tarraqueta, cesteiro que faz um cesto, faz igualmente um cento; a você, doutora Desirée D'Anunciação dos Prazeres, cabe chorar por onde mais lhe dói a alma, por agora, depois o costume e o tempo lhe hão de estancar as lágrimas, e de pronto já lhe asseguro a disponibilidade do meu lenço de pastor para enxugá-las sempre, dos meus ombros de cristão para abrigar-lhe a fronte, do meu peito de homem, ainda que de Deus, para ampará-la ", ufa!, no que o monsenhor já se fez ele próprio de "amparo" com incomum desassombro, pondo-se de pé e fazendo-me igualmente levantar do assento, e em abraços e beijos

Fernando Vîta

que me pareceram transcender aos princípios da fraternidade mais cristã, apertou o meu corpo contra o seu de forma tão pagã, que nem mesmo a batina de estar em casa evitou que eu registrasse em minhas coxas a sua ereção em nada casta; o aconchego e o deslumbre do monsenhor foi tão crescente e tamanho, que ele mal notara a chegada do sacristão, o tal Toninho do Padre, de quem todos aqui lhe reconhecem a paternidade, só mesmo a chegada do abestalhado para frear o ímpeto do vigário, que, em mesmo me pondo em situação real de estar a assistir Satanás pregando quaresma, me humanou, no mais lato sentido do verbo humanar, de tão puta que fiquei em saber do que abrigam em perversão humana os muros cerrados de hera, os telhados de telhas inglesas, estilo nórdico, em declive acentuado como se seu morador imaginasse que, qualquer dia haveria de nevar em Todavia, as portas e janelas verde escuro e as paredes brancas daquela mansão bem posta em seu estilo britânico, a tal casa do Inglês.

(Sobraram esbregues e tabefes supimpas para o amalucado do Toninho, cumpre registro. Seu pai vigário não lhe perdoara a imprevista chegada! Não fora ela, quem sabe se a outro Toninho eu não daria à luz em Todavia?)

Não houve carência de adjutório do lenço nem do ombro amigo do monsenhor, vez que lágrimas não correram sobre as minhas faces. Quem sabe o aconchego e o arrocho do amplexo as evitaram? É possível que sim, pode ser que não, e dos beijos melosos que permutamos, nem falo! Antevi a quanto chegaríamos, médica mulher, homem padre, ao final da prosa, desde que, mal ela se iniciara, de soslaio, o monsenhor ainda abancado em sua poltrona, percebi a sua batina elevar-se nas imediações do seu baixo-ventre e lembrei-me de um filme em preto e branco, visto ainda no meu tempo de estudante, em que uma imensa

DESIRÉE
a sexóloga que não sabia amar

lona de cor creme escuro se eleva lenta e candentemente do chão da praça, ultrapassa o peitoril de janela de uma casa de praça de Itália e ganha seu espaço no ar, sob a forma de um majestoso circo. Se a memória não me trai, agora, em tão prosaica lembrança, era um filme de Federico Fellini, visto em uma matinal de sábado, no Cine Guarani, na Cidade da Bahia, com o Hélio namorado ao meu lado, Hélio estava comigo, sim, disto não restam dúvidas que recordo bem.

Uma senhora que não se expôs à tentação não pode vangloriar-se de sua castidade.

Montaigne. O francês Michel de... mais uma vez traz à prosa um dichote daquela rainha da sua época, de quem ele teima em preservar o nome. Sem querer prejulgar nem levantar falso a quem não mais se pode defender de aleivosias, aposto com quem quiser apostar que entre os dois rolou algo mais que uma frugal e despretensiosa conversa de sabidos.[3]

---
[3] Livre e malicioso pensar do autor.

Na manhã seguinte, ao altar, na matriz de Todavia, aos pés da padroeira Santa Rita dos Impossíveis, um rejuvenescido, empolgado e vivaz monsenhor Giuseppe Galvani celebrou a sua missa dominical com a pia e eloquente fé dos vigários de paróquia em dia de igreja cheia, o que não o impediu de, sempre que possível, despregar os olhos, potencializados nas artes de melhor enxergar por um par de óculos de grossas lentes, do pesado missal ecumênico que lhe fornia de roteiro para a celebração e os desviar para uma Desirée, esta contrita e mais uma vez sem o marido Hélio ao seu lado, discreta, silente, rosário em nervoso debulhe de dedos à mão direita, véu claro a encobrir-lhe parte mínima dos longos cabelos negros, olhos castanho-claros e cheios de insondáveis guardados, ainda mais formosa em sua morenice brejeira que ao entardecer e ao surgir da lua do sábado; então Galvani caprichou no latinório, estava empolado e mais que sempre inspirado o pároco, e, ao pregar o Santo Evangelho, trouxe platitudes muitas até chegar aos mistérios dos pecados do mundo, como sendo o pecado enquanto instituição, "o ato de pecar por pensamentos, palavras

Fernando Vîta

ou obras, não importa a sua escala e seus proporcionais danos ao espírito ou à matéria, componente intrínseco e desapartável dos humanos na terra, os bichos não pecam, e se o fizessem não haveriam jamais de carecer da misericórdia divina, já que não dispõem de raciocínio, só os humanos feitos de carne, osso e, bem além do osso e da carne, de nervos, pecam e em larguíssima escala"; foi o monsenhor do Eclesiastes a Tomás de Aquino, de João a Pedro, citou vezes várias a Bíblia, encíclicas e papas, monges e freiras castos, passeou pelo Novo e Velho testamentos para fechar, solene, a prédica com a máxima de que, "quem nunca pecou, que atire a primeira pedra", e estivera ele a rezar missa em área da mineração de manganês, na vizinha Taitinga, e não na matriz de Todavia, falida estaria a Arditi mineradora, já que não haveria de sobrar pedra sobre pedra, tal a legião de fariseus ali presente, silente, que teria que curvar a espinha dorsal, atracar-se a um matacão, quiçá a um gravilhão ou um paralelepípedo, sobrepondo o peso da pedra ao da consciência em estado de *mea culpa,* e atirar-lhe ao léu, aos céus, como um azougue, com cautelas todas para não atingir partes moles ou duras de outros fariseus, e por questão de mérito, que não se duvide, caberia ao cura pregador, o próprio ele, dar a partida no arriscado torneio por ele mesmo proposto, mas deixemos que a missa se finde em paz, oremos, irmãos, comunguemos contritos, confraternizemo-nos cristãmente, que essa tramoia de atirar pedras aos céus ou ao léu é tarefa mais achegada aos malucos, e eles já são tantos, diversos e fartos em Todavia e derredores, que não seria minimamente coisa de puros de es-pírito furtar-lhes o único e restrito ofício, acabemos com essa missa que ela já vai longa, não é no modo solene dos dias de santos e de guarda, os que a ela vieram em jejum absoluto para receber em forma de pão a carne de Cristo e, de vinho, o seu

DESIRÉE
a sexóloga que não sabia amar

sangue, já devem estar a pico de desmaiar de tanta fome, todos com um olho na missa, outro no padre e os dois no café farto que os espera em casa, não lhes há de lá faltar ovos estrelados, cuscus, bolachinhas de goma, fatias de parida e bolo de puba à mesa dominical, que Deus é Pai e Maria é Mãe, então padre e médica, médica e padre se viram como já de hábito aos finais de missa à sacristia, beijos reverenciais de Desirée às mãos do monsenhor, beijos cândidos do monsenhor às faces de Desirée, aqui não há novidades nem as haveria de ter, as cenas da vida se repetem como se repetem os dias e as noites, de novo mesmo só o acólito Toninho do Padre, a um canto, a repor às gavetas os paramentos e as alfaias sacros, a fazer ouvidos moucos de mercador de bazares e olhos de falsas vendas, dessas que os mágicos de mafuás mambembes de rodas de feiras livres usam em mágicas de faz de conta para ludibriar os otários que lhes sustêm a vida, e que a deusa da Justiça, em estátuas de mármore de Carrara, mundo afora, finge ocultar os olhos para se fazer de cega, mas enxergando por demais só o que lhe convém enxergar, "precisamos voltar a conversar e dividir um vinho, minha doutora", cochichou Galvani; "Deus haverá de fazer a boa hora, meu monsenhor", esperançou de volta Desirée.

À falta de o que fazer em casa domingo adentro, a médica buscou saber de Olinda Helena; por Mariazinha mandou-lhe recado, e que ela viesse para dividir a macarronada do almoço com ela, cuidaria de providenciar as cervejas Malzbier bem geladas, e, quem sabe, talvez até desarrolhasse um bom vinho, sabe-se de fonte certa que o hábito do cachimbo põe a boca torta; então Olinda Helena acatou e fez gosto ao convite, e já se fez chegar em casa de Desirée, saltita e cheia de vida, a louvar as piruetas da noite passada, aos braços do meio-campista Dega, e com ele não estava a piruetar em cama até agora porque o Onze Unidos teria renhida porfia contra o Humaitá Futebol Clube naquela mesma tarde de domingo; então, sem delongas, a médica destrinchou o enredo, o fim de tarde à véspera em casa do monsenhor, com a precisão de ata de reunião de firma ou de condomínio, nada deixou faltar à atenta curiosidade da atendente de consultório, as saliências do de batina, a qualidade do vinho calabrês e dos acepipes regionais, a presteza das doces mocinhas serviçais, o flagrante da chegada do sacristão imbecil e o tamanho da descompostura que ele merecera e levara nos tampos da cara, a franca clareza com que o monsenhor narrara os assombrosos festins de álcool e sexo que a casa do Inglês abriga, sem lhe negar, ao Inglês, os méritos de emérito e eclético putanheiro; "lógico!", então obtemperou Olinda Helena; "claro!", reforçou bem assertiva, "se ele, o eminentíssimo monsenhor Galvani, vigário da Paróquia de Todavia, ele mesmo, é assíduo frequentador das noitadas de saliências variegadas da casa do Inglês, quem melhor do que ele para narrá-las sem freios nos modos ou peias na língua?" E ali, na casa da Rua do Espera Negro, num domingo sem novidades outras, duas mulheres solidárias escrutinaram guardados de memória, anteviram curvas, traçaram retas e como que selaram o destino de um par de vidas que, só por força dele mesmo, o destino, viera a fazer pouso em Todavia, e o destino não poderia ser outro...

DESIRÉE

a sexóloga que não sabia amar

...que não uma separação pacífica, civilizada, adulta do meu marido Hélio. Não me restam alternativas, tenho uma vida que é minha e que só devo dividi-la com quem também se predisponha a dividir a sua comigo, e não tem sido esse o caso, tenho um marido que não é marido, finge que o é, só isso, vive a sua vida como se a minha não existisse na dele; esses anos de Todavia não lhe fizeram bem e me fazem igualmente imenso mal, sei lá se os pipocas das bananas de dinamite a explodir ao seu pé de ouvido, dia após dia; a mesmice desse viver sem graça nessa cidade que graça não tem nenhuma; o apego crescente aos labores e às coisas de suas leiras de plantados a florescer em chão urbano; essa amizade desmedida e inusitada com o Inglês, só Deus é quem sabe de que componentes se faz a química que agora nos torna tão distintos e inversos em nossos desejos, eles todos, nós que fomos, desde jovens, tão cúmplices; então, em eu tendo uma vida e dela não querendo abdicar, que Hélio siga a sua; que eu siga a minha; e a amizade que entre nós continue, em sendo da conveniência de ambos; não temos filhos nem bens a repartir, ele que fique em Todavia, eu que parta para a cidade da Bahia, lá tenho portas abertas, lá tenho família e amigos, lá me recomponho, se é que há alguma coisa a ser recomposta; eu disse isso tudo de coração aberto a Olinda Helena, e apenas atenuamos a sede do domingo calorento com as Malzbiers, já estávamos ao deguste de um chianti clássico, os acepipes não eram tantos nem tão finos como os da casa do monsenhor, mas não ficaram lá muito atrás em bom gosto e delicadeza, dia de muito, véspera de pouco que vá com sua pedagogia de para-choque de caminhão para os infernos mais profundos, viver não é fácil, mas é bom; conversamos por demais, Olinda e eu, tanto que o domingo já se ia quando sentamos à mesa para almoçar, diria que "ajantaramos", as duas, até porque quando ela se foi, tão saltitante quanto aqui chegara, as luzes

Fernando Vîta

fraquinhas e precárias que pouco iluminam nossas ruas já se faziam acesas nos postes. "Até amanhã, Olinda Helena", "até amanhã, doutora Desirée, siga tranquila, consciente e tão equilibrada quanto a senhora tem estado até agora", aconselhou-me a minha amiga, e o fez de forma tão sincera, a olhar-me nos olhos, menos do que com compaixão, e muito mais do que com compreensão, que pude tomar meu banho de antes de dormir, ficar, serena, a preguiçar, a bestar em casa, a fazer uma coisa e outra, nada de importante, só dando rédeas ao tempo para que ele passasse e Hélio chegasse, e um passou e o outro chegou, só que num estado de sóbria embriaguez que não me deu chão e trela para engrenar qualquer conversa, centrava a sua, o até então meu marido, nas partidas de tênis que jogara com o Inglês em parte do dia, este agora feliz por ter um assíduo parceiro a lhe substituir a solidão extrema de disputar pelejas de mentira contra um mudo muro de tijolos e argamassa corrida, de sementes de cebola e alho-poró que o mesmo Inglês lho presenteara, da excelência do Inglês ao comando de um fogão de quatro bocas, um mestre-cuca completo, o sacana do Inglês, quem haveria de imaginar, Desirée, ele domina forno e fogão e o faz com o uso de puros olivas, essências raras e iguarias finas, come-se em casa do Inglês como se em caros e raros restaurantes de Europa, e a Desiréezinha aqui a escutar a lenga-lenga de que o Inglês é isso, de que o Inglês é aquilo, de que o Inglês é aquilo outro, o Inglês, o Inglês, o Inglês, "ora, Hélio!", eu o interrompi, deixemos o Inglês de lado que amanhã, em bom e claro português, eu quero ter uma conversa séria com você, é sobre nós dois, "por que não agora logo?", ele quis saber, e eu lhe disse que não, que deixássemos para o café da manhã o que não deveríamos fazer hoje, que findássemos o nosso domingo como o começamos, eu rezando em missa, ele a fazer o que melhor lhe apetecia em companhia do Inglês.

DESIRÉE
a sexóloga que não sabia amar

Ah, antes que me esqueça: Olinda Helena listou nomes de muitos outros formidáveis que, igualmente a Hélio e ao monsenhor Giuseppe Galvani, costumam marcar presença em casa do Inglês: o prefeito Antônio Magalhães Braga entre eles, o poeta Correa de Melo, outro! Dos listados, muitos deles eu costumo ver às missas dos domingos, de terço às mãos, juntinhos às suas respectivas esposas, oh céus!, de que barro mais miserável o Criador amalgamou o bicho homem!...

O gato Bangu, à espreita, preguiçosamente estendido ao sofá da sala, com os seus olhos esverdeados e curiosos de sempre, parece perceber que as coisas aqui em casa não andam nada bem.

Ninguém sabe onde pode ir o ódio de uma mulher.[4]

Virgílio, Públio Virgílio Maro, para ser mais exato, poeta romano, autor da epopeia Eneida. Feito carne em 15 de outubro do ano 70 pré-JC, Virgílio desencarnou aos 21 dias de setembro do ano 19, ainda antes da chegada de Cristo e de tudo que se deu na sequência dessa outra novidadeira encarnação, digamos, prenunciadora de algumas querelas e turbulências, até hoje não devidamente pacificadas, ali pelos arredores da Galileia.

[4] Sabe sim, poeta Virgílio. Basta ter encarado a fúria de uma *ex* perante um juiz de vara de família. (Assim pensa o autor, à base do ouvir dizer, já que, pouco achegado às varas, de tribunais ou de qualquer outra natureza, vive com a mesma mulher há pouco mais de meio século.)

Desirée e Hélio mal tocaram às coisas postas à mesa por Mariazinha no desjejum daquela manhã de uma segunda-feira de desimportante outono (como, aliás, usam ser todas as estações do ano em Todavia. O outono, com a sua madorra e mesmice paralisantes, apenas o é ainda mais um pouco que o inverno, o verão e a primavera juntos!); morderam aqui e ali um naco de mamão papaia, bebericaram, pacientemente, o café forte e bem quente misturado ao leite com nata, deixaram de lado pão, manteiga, biscoitos de polvilho, coalhada e queijo; a conversa, em voz baixa, entre os dois se deu reta, curta, sem meias voltas ou *mas* e *mas,* coube à médica abrir o seu baú de certezas, incertezas e afetivas mágoas; a Hélio apresentar o ar de surpresa contida quanto às não tão boas-novas na vida do casal, não houve clima para choro, e se velas houve, delas não se tem notícia, a penosa tarefa de lavar, enxaguar e secar a roupa suja de quem fez o quê com quem e quando foi pacífica e civilizada como prima ser com os que cultivam bons modos e maneiras; ficou de pronto combinado que Hélio permaneceria em Todavia

Fernando Vîta

e que Desirée partiria para a Cidade da Bahia, eles nada tinham a dividir a não ser as muitas lembranças boas dos tantos anos de vida juntos, da época de jovens estudantes no passado à de gente feita do presente, vividos já os dois bons quarenta e mais uns poucos anos de idade; agora, em busca de novos rumos, que cada um deles se encarregasse de repassar a novidade para as suas respectivas famílias e aos seus amigos comuns ou incomuns; a Hélio restou o encargo de arregimentar um advogado da Arditi Minérios, que os tinha de sobra em seus quadros, para dar tratos ao papelório de separação amigável; a Desirée a decisão da data da partida e da mudança dos seus poucos pertences pessoais para um novo pouso, uma nova vida, que ela almejava breve, não mais que o tempo preciso para fazer ciência aos seus clientes e ao público em geral de que, a partir do dia tal, Todavia, que já não dispunha de muita coisa boa a ofertar aos seus viventes, agora estava a perder também a sua única médica, a doutora Desirée D'Anunciação dos Prazeres, especialista em clínica geral, psicológica e sexológica; ia-se a doutora, restavam, sós, os seus doentes; caberia a Olinda Helena, cumpridas todas as etapas do até mais ver, Todavia!, retirar da parede frontal da casa da Rua do Espera Negro aquela placa dourada que ali fora posta quando da abertura do consultório, oh quantos anos já se foram!; oh quantas emoções colacionadas aos prontuários médicos em caprichada caligrafia cursiva!; oh quantas lembranças a levar na bagagem da memória! E que o monsenhor Galvani, do púlpito das suas missas, antes das proclamas matrimoniais e da prédica do evangelho, fizesse público, por gentileza, o que até então era privado a poucos: doutora Desirée, a médica, está de volta à Cidade da Bahia; doutor Hélio, o engenheiro geólogo, fica em Todavia; e mais

DESIRÉE
a sexóloga que não sabia amar

não disse nem mais nada lhe foi perguntado, que as missas não se prestam a tertúlias.

O resto da segunda-feira transcorreu tranquilo; Olinda Helena, após estar plenamente ciente da conversa de Desirée com Hélio, atendeu com a presteza de sempre aos clientes do dia, já os notificou, então, à boca pequena, e lhes implorando a guarda de sigilo absoluto, que em poucos dias a doutora estaria a mudar de cidade, só a uns poucos e mais próximos adiantou a nova do descasamento como causa, de maneira que mal passado do meio dia e Todavia e meia já sabiam de tudo e de mais um pouco acerca da separação do nobre casal, sem carecer de que o monsenhor Giuseppe desperdiçasse seu latim para proclamar nem o pouco nem o tudo, notícia, como igualmente se dá com a mentira, já se sabe, tem pernas curtas, mas corre rápido que só vendo, sobremodo quando é do tipo ruim, e ela chegou às minas de manganês do Taitinga com igual pressa, tanto que quando Hélio buscou os préstimos do advogado da Arditi Minérios para cuidar dos papéis da separação em cartório de registro civil, um tal de Cirano Orrico, este Cirano já sabia de tudo que se passou por fonte limpa, ele as tinha muitas, as fontes, umas mais limpas que outras, que fontes nunca lhe faltaram nem haveriam de faltar em Todavia, sempre rogava aos céus o causídico supra, igualmente já a par, por ouvir dizer de uns e outros, da punheta com que o poeta Correa de Melo reverenciara, certo dia, em pleno consultório, a reconhecida formosura de Desirée — nada soubera do poema que o vate também lhe dedicara, contudo —; já da questão do interlú-dio amoroso do monsenhor pároco com a sexóloga médica, num fim de tarde de sábado, embalado a finos vinhos, na casa paroquial, doutor Cirano sabia bem mais que a missa a metade, a missa toda. Das travessuras extraconjugais do Hélio geólogo, não careceu o advogado Orrico de beber das suas fontes, ele próprio frequentador assíduo das bacanais na casa do Inglês.

À noite, ao chegar em casa, vindo das minas do Taitinga, mas com a ainda mais que indispensável rápida passagem pela casa do Inglês, Hélio já encontrou, espalhadas ao longo do corredor, vistosas caixas de papelão embaladas, lacradas e identificadas — aqui, livros; acolá, fichários de prontuários; em outra delas, instrumental médico — com as coisas de Desirée. Mariazinha, Olinda e a própria médica cuidaram de tudo com o apurado e indispensável zelo de deixar em ordem os pertences de Hélio. E em deliberação conjunta das três, assentou-se que o gato Bangu e Mariazinha seguiriam com a médica para a Cidade da Bahia. Olinda Helena, não, porque despregar do seu meio--campista Dega, nem pensar!

DESIRÉE
a sexóloga que não sabia amar

Bem melhor assim, como tudo se deu, entre Hélio e mim, até porque no dito balanço do dever e haver já estamos quites; agora já posso considerar, mesmo sem ter-me dado ao trabalho de quantificar quem mais deve a quem por eventuais derrapadas matrimoniais, até porque tais adições e subtrações só servem para dividir por dois o que pouco ainda nos resta de afeto, e multiplicar por mil eventuais mágoas; rogo a Deus que também pense dessa forma meu ex-marido, não manejo não lho querer o melhor bem, já tenho em meu radar o que me espera na Cidade da Bahia, ela que não me é nada estranha; lá estão todas as minhas mais caras raízes, as minhas melhores lembranças; estranha me é essa Todavia, onde cheguei por obra do acaso e que agora deixo sem agasalhar amargores na bagagem nem na alma, muito pelo contrário, dela agrego e levo experiência única de ter sido médica de província tão surreal e ímpar como essa; antecipa-me a volta à capital uma longa carta enviada aos meus pais, dizendo-lhes tudo que lhes seria próprio saber por enquanto, e lhes poupando do que não lhes seria da conta querer saber; outra a redigi e mandei ao meu eterno mestre e tutor nos tempos da Faculdade de Medicina, o sábio doutor Norival Sampaio, e dele já tenho notícia de que o seu prestígio pessoal e a minha "aplicada passagem como médica residente no velho Hospital Português" já mo assegurariam vaga em seus quadros logo que chegue, foi-me ainda mais solícito o mestre Norival: quer-me como professora-assistente na disciplina que ministra com tanta proficiência na mais antiga faculdade de medicina do Brasil, justo a que me deu luzes e diploma de doutora. Dos meus clientes, levo as lembranças e os guardados preciosos dos seus relatos, não creio que em nenhuma outra parte qualquer do planeta os teria tão sinceros e desabusados quanto os tive em Todavia. Os ajudei com os meus diagnósticos clínicos, psicológicos ou sexológicos de médica em início *de carreira?, pergunto-me e eu mesma respondo-me que sim, mas não temo registrar que mais aprendi com todos eles que eles comigo, juntando a tão fantástico apanhado de saberes as conversas de mulher para mulher que tive com a minha querida atendente e amiga Olinda Helena, hábil e sincera em passar adiante, vezes de forma excessivamente didática, até, tudo que aprendera na cama com um autêntico e insubstituível professor emérito, desses que as escolas não formam e nem disponibilizam, por raros, aos alunos, o seu "cacho" Dega.*

Tenho sorte e não a desperdiço, reconheço. Vivi em Todavia o que poucos vivem em começo de vida a dois, de vida profissional, tanto do jeito bom quanto do ruim, e saio bem maior do que quando aqui cheguei. Levo, entre meus bens tão parcos, o que aqui ganhei e pouco tive como gastar, por falta até de se ter em que gastar em cidade tão carente do que se fazer. Mas, entre os bens que me são tão mais preciosos, e que dinheiro algum jamais os compraria, vão comigo as caixas de sapatos contendo os prontuários médicos que herdei do meu antecessor doutor José Fonseca, que muito mais que os que, como agora o faço, escrevi em meus dias de novel médica, haverão de me servir em meus novos tempos logo ali à frente, seja dando consultas, seja ministrando aulas, seja rememorando instantes.

O gato Bangu também me haverá de acompanhar à Cidade da Bahia, ele, indivíduo tão malvisto em Todavia, mas que nos tempos em que conosco conviveu em casa, afora eventuais e aceitáveis e perdoáveis desvios de conduta, sempre se mostrou uma companhia doce, afetuosa e, ao seu jeito meio sonso, solidária.

OBS.: A emergência da minha mudança levou-me a telegrafar à Barros & Cia., pedindo que sustasse o envio para Todavia do fichário definitivo que substituirá as prosaicas caixas de sapatos na guarda dos prontuários de Fonseca. Assim que chegue à capital, cuidarei, eu mesma, de ir pegar a mercadoria na sede da firma, na Guedes de Brito. Aproveito e dou um pulo em A Farda, no Edifício Themis, ali pertinho, na Sé, e encomendo uns novos guarda-pós, de que já estou a carecer.

O pior surdo é
aquele que não quer ouvir.
E o pior cego, o que insiste
em não enxergar.

Não sei quem disse isso, certa feita, sabe-se lá a troco de quê. Entre nós, Salvador França, o do caminhão Fenemê cara curta trucado, tido como filósofo diletante, em mais uma das suas raras paradas em Todavia citou a anônima pensata e foi além: "Aqui, temos um contingente muito maior de homens moucos dos ouvidos e cegos dos olhos que de mulheres com tais deficiências auditivas e visuais. Daí a quantidade enorme de cornos mansos de que dispomos".

A sugestão partiu do enxerido monsenhor Galvani (useiro e vezeiro em dar pitacos acerca de tudo na vida de todos, em se tratando das mais díspares das questões do dia a dia de Todavia, quer elas fossem sacras ou profanas!), e ele mesmo orquestrou as tratativas para que Salvador França e o seu Fenemê, de partida em breves dias para a Cidade da Bahia, com pouco mais de meia carga de sacas de farinha de mandioca e de algumas grosas de jacas dos dois tipos, moles e duras, à carroceria, transportassem até a capital a mudança da doutora Desirée, a frete módico e camarada, ajuntando-se à empreita a ideia de que o gato Bangu acompanhasse de logo a sua nova e única dona, albergado em caixa de madeira ampla e ventilada, a ser abrigada na boleia do caminhão tal qual a médica passageira e não entre jacas moles e duras e sacas de farinha de mandioca como antes indevidamente até se chegara a cogitar, que Bangu não é um gato qualquer, tem manias, prerrogativas e privilégios históricos e consuetudinários a serem preservados; Mariazinha, esta não, haverá de seguir viagem depois, a encargo de portador de confiança, pelo trem da Estrada de Ferro Nazaré e vapor de carreira da Bahiana, tão logo Hélio ache alguém com os mesmos predicados de forno, fogão e limpeza geral que a substitua sem entraves ou impedimentos de qualquer natureza; assentado igualmente já estava que tal qual a filha pródiga que ao lar torna, Desirée à casa dos seus pais tornaria, ainda que por pouco tempo, haveria ela de logo encontrar uma nova casa, um apartamento aconchegante e já paramentado dos paramentos indispensáveis ao bom viver, pronto para entrar e morar, quiçá perto do mar e do Hospital Português, que tal na Graça ou na Barra? Em Ondina ou no Canela? No Campo Grande, talvez, uma boa ideia, ali pela Rua Banco dos Ingleses, debruçado sobre a imensa baía a espraiar-se soberana e majestosa desde os costados da Cidade da Bahia até os beirais da Ilha de Itaparica, com um pôr-do-sol de extasiar ademais, nada que a avexasse, razões para avexamentos não existiam agora para Desirée D'Anunciação, já de fato despregada do *dos Prazeres* do sobrenome de casada (Devolvia-o, de bom grado, para Hélio. Ele que o desfrutasse à larga em serões de putaria e álcool na casa do Inglês!) e não daqueles outros, bem melhores e prazerosos, da vida nova a ser vivida, tanto que o mesmo monsenhor Giuseppe Galvani, sempre solícito, generoso e prestativo pastor de almas e corpos, quis que às vésperas da partida da doutora, um novo rega-bofe, irrigado a vinhos da Calábria e harmonizado com bons queijos, embutidos e frutas de estação, reunisse os dois na casa paroquial, dessa vez ficando adredemente estabelecido que ao Toninho do Padre uma missão alongada seria delegada, de preferência fora dos limites territoriais de Todavia, lá para as paragens de Santana do Rio da Dona ou de Vargem Grande, que as meninas Gisela e Verona, fiéis serviçais do pároco, cientes e partícipes das suas treitas, sabiam bem do seu lugar quando Giuseppe, em batina de estar

DESIRÉE
a sexóloga que não sabia amar

em casa, folgazão, arteiro e sonso, estendia serões para apascentar em paz ovelhas do seu rebanho, dito e feito, e do feito nada se sabe agora além do que o tudo — ou quase tudo! — que Desirée contou em confiança a Olinda Helena, no dia seguinte, já que poucos foram os que viram a médica entrar, bem apressada, sol já posto e lua no céu, na morada do prelado; raros ainda mais os que a viram sair, noite alta, bem feliz e tranquila, abrigando entre os braços, em contrita e peregrina fé, a caminho de casa, uma imagem que lhe fora dada de presente pelo monsenhor, feita de madeira velha e curada, de uma valiosa e rara Senhora Santana, subtraída pelo vigário ao rico acervo da antiga e bela igreja barroca de antigamente, aquela preciosíssima, abrigo de valiosos paramentos, alfaias e imagens, dos tempos idos dos primeiros frades capuchinhos colonizadores, posta ao chão ao custo de muita dinamite, horas de trator de esteira, retroescavadeira e caçamba, por obra e graça do monsenhor Giuseppe Galvani, este mesmo formidável calabrês que agora está de satisfeito cheio até a boca, e feições bem pias, a orar missa nesta *coisa* de arquitetura oblonga e inominada, que ele plantou, só por capricho e cobiça, no lugar do velho templo de Todavia.

O Fenemê de Salvador França recolheu, manhã de um sábado amanhecendo friozinho, Desirée, o gato Bangu e seus outros poucos bens e trastes e pegou o prumo da estrada encascalhada e esburacada que demanda à cidade da Bahia, em voltear de léguas tantas a atravessar Afonso Pena, Sapeaçu, Cruz das Almas, Cabeças, São Félix, Cachoeira, São Gonçalo dos Campos e Humildes, e só aí então poder pôr rodas em asfalto liso e sem poeira da Rio-Bahia até a capital, não sem

Fernando Vîta

antes atravessar a Cova do Defunto. A viagem foi longa, mas boa, não há nada do que se possa queixar. Olinda Helena esteve à partida da doutora Desirée D'Anunciação, toda feita em abraços, lágrimas, beijos e promessas de até mais ver. Mariazinha deu apenas um até logo, sorriso de menina quase mulher na face negra, a quem novos dias e esperanças a esperar se prenunciam. Hélio de Almeida dos Prazeres restou à casa do Inglês.

Mal a poeira do caminhão de Salvador França assentou ao cascalho da estrada, e o poeta José Correa de Melo, tristonho, solitário, dava tratos a versos e mais versos, novos e enlevados versos a cantar odes e mais odes à formosura de Desirée, outros, muitos outros, além dos que ele já declamara para ela, em serão de corpos presentes, dias antes da partida, entre livros de tombo e de registros de feitos civis, em seu cartório entulhado deles. Consta no falar do vulgo, que faz a lenda dos grandes bardos e dos seus amores platônicos, mesmo nos mais míseros e pobres dos romances, que restou assente às bolorentas páginas tantas de um alentado calhamaço de registros de foro e foreiros, entre traças, carunchos e cupins, uma mancha incolor de coisa gosmenta feito goma de colar estampilhas, em tudo igual àquela que coubera a Mariazinha limpar no consultório da médica, a brear os nomes dos mais que centenários Araújos, Fonsecas, Bulhões e Almeidas, os que o cobram até hoje, donos de sempre, por cadeias sucessórias perenes, das terras, águas e ar de Todavia, desde os tempos em que, ela vila, chamava-se Capela do Padre Mateus; não poupou, deveras, a farta borra de sêmen, outros de Souzas, Santanas, Andrades e Silvas, os

DESIRÉE
a sexóloga que não sabia amar

que o pagam e haverão de pagar para todo o sempre pelo chão que lhes cobre as sementes e haverá de lhes cobrir os corpos um dia.

E quem quiser e dispuser de mestria tamanha, que tente desnudar o que vai à alma dos poetas.

Fernando Vîta

Cheguei bem, graças a Deus, embora estropiada e cansada, já com o sol se pondo no Farol, um sol tímido de outono, é verdade, mas o mesmo sol a que me acostumei a ver todos os dias nascer e se pôr da janela deste meu quarto de infância, em casa dos meus pais, aqui nas bordas da Barra; e que imaginária viagem, essa, a que faço agora, de volta ao meu tempo e ao meu espaço, como que a reconquistá-los com ganas de menina nova; desnecessário falar da alegria de pai e mãe ao ter a filha única de volta, e que se danem as circunstâncias que a fizeram tornar ao caminho de casa, ela ainda sem os netos a lhes dar aos beijos e abraços, novas gentes almejadas por velhas gentes que as querem tanto quanto o solo fértil quer as boas sementes, como se casar e gerar filhos fossem coisas tão implícitas entre si quanto o são dormir e acordar; fico a dever-lhes essa paga de esperança, a perder de vista, por enquanto, entrementes; já temos aqui a saracotear por toda a casa o gato Bangu, com ar, pose e pompa circunstancial de quem aqui tivesse nascido e vivido todos os seus já não tão poucos anos de encontros e desencontros em várias moradas, dei-lhe água fresca a beber, comida a comer e ei-lo então, príncipe emplumado em pele amarelo-ouro, a ressonar soberano no sumiê de veludo crepe da sala de estar; ah, quantos e furtivos amassos eu e Hélio nos demos nesse mesmo sofá, nos primeiros tempos de namoro, justamente aonde agora repousa o gato!, recordo só por recordar, não tira pedaço de ninguém.

Banho tomado, jantar à mesa, velhos sabores do passado a premiar o meu paladar, apenas conversa rara de quem tem muito a dizer e pouco a querer contar, não bastassem o cansaço da jornada e a desnecessidade de se estar agora a remoer desditas, bom é falar só do porvir e não do que ficou para trás, lá na poeira seca que o caminhão de seu Salvador França fez subir da estrada deixando Todavia na

DESIRÉE
a sexóloga que não sabia amar

conta do antigamente; esse velho moço Salvador que me devolveu com tanto desvelo à Cidade da Bahia é um mago na arte de encantar com prosa, falou-me dos seus tempos de pracinha da Força Expedicionária Brasileira nos campos de Itália, na Segunda Guerra; da sua vida de semi-cigano sem pouso, eira ou beira, que faz do mundo do agora e sempre a sua própria casa; dos amores e desamores de caminhoneiro estradeiro e solitário; do quanto é bom viver sem destinos fixos, bússolas ou radares a lhe cobrar nortes ou passos; do tudo que já viu, ouviu e quer continuar vendo e ouvindo mundão afora; da desvairada mesmice que é viver na sua Todavia natal, e que se não fora a guerra e a estrada que lhe levassem de lá e já estaria maluco; e falou, e como falou seu Salvador, da hora que o seu Fenemê pôs-se a rodar até que aqui chegamos, ele, eu e o gato Bangu depois de breve parada em Cachoeira para espiar o Paraguaçu na forma da maré enchente, ir ao quartinho desapurar as vontades mais urgentes e fazer um lanche bem proveitoso e sustido; conversamos sobre o monsenhor Galvani, o médico José Fonseca, o poeta Correa do cartório, o Aristóteles das Bicicletas e seu filho mal-fazejo, Maria Vinte e Um e a sua fama de fêmea incansável; falamos das poucas e raras tradições ainda caras aos de Todavia: a Sociedade Philarmônica Amantes da Lyra e o seu eterno maestro Sóther Barros, a veneranda Loja Maçônica Deus é Amor; palreamos de Clinésio, o que adora ir no segundo distrito de Adélia, mas, principalmente, do Inglês e da sua casa de malfeitos muitos e poucos explícitos e da proverbial mesmice que é se viver, dia atrás de dia, em Todavia, "não sei como a senhora, minha doutora Desirée, aguentou por tanto tempo, encrencas com o marido à parte, aquela minha terra e aquela minha gente", segredou-me o caminhoneiro; então, estrada afora, chegou lá uma hora, o caminhão subindo a íngreme ladeira de Cachoeira em marcha lenta, curvas e mais curvas labirínticas, me bateu o sono

Fernando Vîta

que me faltou nas vésperas da partida; ah, tive que me virar em mil para não deixar pendências, de qualquer espécie, a resolver, isso sem falar do poeta Correa e dos seus versos feitos à mão para mim, e desse monsenhor Galvani, que me deu de presente uma Senhora Santana e que santa não me quis, muito pelo contrário, que esse italiano em posto de santo é o Diabo em forma de gente, Deus que me perdoe!

Homem bom e cuidadoso, seu Salvador parou o caminhão num relvado ermo, à beira da estrada deserta àquele prenúncio de tarde, por perto da entrada de uma vilota de nome Belém de Cachoeira, deliberou desfivelar das suas amarras e abrir uma caminha bem maneira que todo Fenemê que se preze traz na boleia, às costas e em um nível pouco abaixo da cabeça de quem o dirige, forrou-a adamadamente com lençol de cambraia de linho limpinho, assentou um travesseiro de macela cheiroso a alfazema no seu extremo esquerdo, de forma que o meu rosto quando ali pousasse ficasse quase colado ao seu pescoço, e conclamou-me a que dormisse, dormisse "o sono dos anjos", como que me intimou, "que um lindo anjo caído do céu a doutora é". Então a viagem seguiu, dolente, seu Salvador vez por outra velando o meu sono pelo espelho retrovisor, o gato por testemunha.

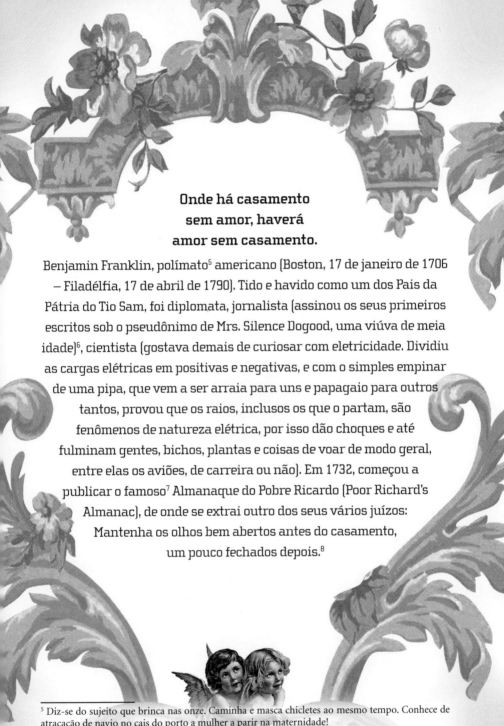

**Onde há casamento
sem amor, haverá
amor sem casamento.**

Benjamin Franklin, polímato[5] americano (Boston, 17 de janeiro de 1706 – Filadélfia, 17 de abril de 1790). Tido e havido como um dos Pais da Pátria do Tio Sam, foi diplomata, jornalista (assinou os seus primeiros escritos sob o pseudônimo de Mrs. Silence Dogood, uma viúva de meia idade)[6], cientista (gostava demais de curiosar com eletricidade. Dividiu as cargas elétricas em positivas e negativas, e com o simples empinar de uma pipa, que vem a ser arraia para uns e papagaio para outros tantos, provou que os raios, inclusos os que o partam, são fenômenos de natureza elétrica, por isso dão choques e até fulminam gentes, bichos, plantas e coisas de voar de modo geral, entre elas os aviões, de carreira ou não). Em 1732, começou a publicar o famoso[7] Almanaque do Pobre Ricardo (Poor Richard's Almanac), de onde se extrai outro dos seus vários juízos:
Mantenha os olhos bem abertos antes do casamento,
um pouco fechados depois.[8]

---

[5] Diz-se do sujeito que brinca nas onze. Caminha e masca chicletes ao mesmo tempo. Conhece de atracação de navio no cais do porto a mulher a parir na maternidade!
[6] Eita que esse tal de Google é uma mão na roda! Sabe de cada coisa!
[7] Famoso, só se for lá pras bandas dele, pros gringos, enfim. Em Todavia, desde sempre, quem dá as cartas é o famoso Almanaque Capivarol.
[8] Se o sucesso de um casamento fosse uma mera questão de simetria de abrir e fechar de olhos, os cornos não existiriam. Muito menos pungentes sambas-canção, que quase sempre nascem da *cornidão* humana, estado de espírito que resulta dos chifres na testeira e da solidão no âmago da alma.

Felicidade, em sua mais completa plenitude, seria ainda muito pouco para descrever o quanto se sentia bem a doutora Desirée, quando, manhã de sol no céu daquela segunda-feira, e apenas o domingo se passara desde sua volta à Cidade da Bahia, pegara, no fim de linha do seu bairro aristocrático, no ponto ao lado direito do alto muro cinza claro do velho Campo da Graça, uma condução da Autoviação Ipitanga em direção à Praça da Sé, com paradas muitas para novos e inquietos passageiros igualmente muitos pela Vitória, Campo Grande, Avenida Sete, Praça Castro Alves e Rua da Ajuda, resgatando, com os olhos e a alma alegres e perspicazes, velhas paisagens de tantas e boas lembranças, aqui, a igreja da Vitória e o topo da Ladeira da Barra; ali, o monumento ao Dois de Julho com seus caboclos, o Teatro Castro Alves e o Clube Cruz Vermelha; não muito além, O Colon; acolá, o Relógio de São Pedro, a sorveteria A Primavera, o Magazine Florensilva, a Farmácia Caldas e a Quatro e Quatrocentos; logo adiante, o Cine Guarani, a estátua do Poeta dos Escravos, o edifício de *A Tarde*, a Sloper, a loja Duas Américas, o Paço Municipal, a

Pastelaria Triunfo, a Ladeira da Praça, o elevador Lacerda e A
Cubana, até a parada final, quase em frente ao Belvedere da Sé,
Cidade Baixa lá embaixo, aos pés da Baía de Todos-os-Santos
e do Forte São Marcelo, jeitos e vozes de gentes que em nada
lhe recordavam os e as de Todavia, cheiros e burburinhos da
sua vera cidade e que lhe traziam de volta o doce sabor de
novos tempos, a vida que haverá de seguir com gosto de reco-
meço; então subiu ao décimo andar do Edifício Themis, teve
milimetricamente tiradas as suas perfeitas medidas corporais
para a feitura dos novos guarda-pós por seu Ayres Muniz,
em A Farda; alegre por demais muito ficou quando por ele,
lápis de anotar centímetros de busto, abdome e cintura e
caderneta às mãos, garantiu-lhe que elas eram em tudo as
mesmas de quando a jovem médica, recém-formada e ainda
solteira, lhe encomendara as primeiras roupas de trabalho;
nada nela mudara, apenas uma coisa registrara com os olhos:
estava ainda mais bela, a sua freguesa, se é que o Criador, que
habita os céus, a terra e os detalhes, tal e qual um exímio es-
cultor de formosuras, se dera ao desfrute de aperfeiçoar, em
uma de suas criaturas mais que perfeitas, a própria perfeição,
galanteou o dono de A Farda, para o deleite de uma Desirée,
entre distraída e enlevada em mirar, através das janelas en-
vidraçadas nas alturas do prédio, o Viaduto da Sé no chão e
uns tantos campanários de igrejas ao alto, a resplandecer no
sol na manhã, um sino a bimbalhar, vez por outra, o passar
das horas e as chamadas às missas; dali ela ainda haveria de
ir à firma Barros & Cia. comprar os fichários de aço para
os prontuários em fichas de cartolina amareladas do velho
Fonseca, dar uma passada na igreja da Misericórdia para uma
rápida prece, rever, ainda que de relance, bem no comecinho
da tortuosa ladeirinha que ao lado dela nasce em demanda

DESIRÉE
a sexóloga que não sabia amar

à Montanha, o Varandá, um *dancing*, bar e restaurante onde um camarada de nome Sandoval ensinou tanta gente boa a beber, até mesmo a um seu amigo de infância, um Waltinho, filho de dona Luz da Serra e do doutor Walter Queiroz, que do ofício de entornar bons líquidos já sabia quase tudo, o Júnior, aluno aplicado que sempre fora dos seus próprios pais, Walter e Luz, esta, que além de brilhar na Serra, o fazia no famoso Broco do Jacu, ornada em mortalha azul-turquesa, encharcada de cerveja da cabeça até o pé, a boca lambuzada de acarajé, em todos os carnavais; aí, e só aí, iria Desirée à sua sempre lembrada Faculdade de Medicina da Universidade Federal da Bahia, para um reencontro e uma conversa com o seu velho professor, o doutor Norival Sampaio, quem sabe ainda não lhe sobrariam tempo e vontade bastantes para, como fazia com alguma frequência em seus tempos de universitária, matar mais boas saudades, almoçar uma quiabada, talvez um cozido, ou uma galinha ao molho pardo, na velha Cantina da Lua, tudo sob as bênçãos, os ademanes e o sorriso únicos do taberneiro Clarindo Silva, ele e a sua taberna, uma La Bodeguita del Medio longe da Havana de Cuba, mas perto do Pelourinho de Clarindo e da Bahia.

O velho professor Norival já lhe esperava, duque de linho branco em goma de respeito, gravata de cores discretas em laço de perfeito enlaçar sobre camisa de gabardine creme claro, colarinhos altos, elegantes óculos de encorpada armação tartaruga e grossas lentes ao rosto de feição terna e plácida, sapatos de cromo marrom, atados a cadarços, em brilho perene de graxa Nugget recém-aplicada e polida por um dos exímios engraxates do Terreiro de Jesus, eles eram muitos, antigamente, abundavam até. "Que alegria, minha querida menina Desirée!", braços abertos, prontos para os ansiados enlaces, festejou o doutor em psiquiatria: "quantas saudades, meu mestre!", devolveu a médica clínica, psicóloga e sexóloga a dois passos dos abraços calorosos que então se deram.

DESIRÉE
a sexóloga que não sabia amar

Vi-me agora, como tantas outras vezes tão-somente fora, nada além que a jovem discípula em busca do amparo do mestre, sabendo de antemão distinguir as meras questões transcendentais das acadêmicas, descartando as primeiras, priorizando as segundas, ainda que o convívio de professor e aluna, no correr dos anos, mo permitisse misturar sintonias, interesses, objetos, até porque a generosidade do professor Norival era tamanha que, embora as portas da sua sala, de paredes austeras, forradas com mogno escuro, ornadas aqui e ali por diplomas e láureas angariados pelo mundo afora nas especialidades do seu domínio, estivessem sempre abertas a quem o procurasse; embora a qualidade do que ouvir fosse uma espécie de distingo, de termômetro, de ampulheta imaginária a paramentar o tempo que Norival destinaria a cada interlocutor, bem-sabida de todos era a sua absoluta impaciência para conviver com a mediocridade e a ignorância, elas que, sem valer-se de salvos-condutos, vezes alisam os bancos das universidades, vezes outras igualmente amalgamam os contornos dos assentos das cátedras, que a asnice não é atributo exclusivo de quem aprende, mas também lho é de alguns não poucos dos que ensinam, universal é o desdouro de ser burro; então se dava amiúde que o psiquiatra, na batida do correr da prosa, de súbito levantava-se e como que sinalizava que a sua paciência, a sua tolerância, apesar de imensas, expunham seus limites, daí que se tive que repassar ao velho Norival uns tantos detalhes furtivos das razões que me levaram a casar, viver em Todavia, descasar e voltar à Cidade da Bahia, o fiz muito mais em demanda à sua curiosidade pessoal de mestre e amigo que mesmo em desfrute de desfilar sucessos ou insucessos já idos; se não o buscara fazer com os meus pais, que dirá com o cientista que agora tão gentilmente me acolhia, e que, bem antes desse encontro, por gentil carta-resposta, já me assegurara pouso de professora auxiliar em sua cátedra, garantia de emprego em hospital

Fernando Vîta

de renomada reputação. "Então me conte, Desirée", pediu-me o doutor, e eu lhe contei, bem menos que missa a metade dos meus dias em Todavia, vez por outra querendo ouvir do professor os seus feitos, e ele, contido em dizer de si, somente em breves pinceladas falou-me da alegria que experimentava, a cada dia, com a repercussão que obtivera, não só no Brasil, mas também no exterior, a publicação, em livro alentado e vistoso, pela Universidade Federal da Bahia, da sua obra Estudo Clínico da Depressão Reativa, a esgotar seguidas edições e reedições, e a lhe render, bem mais que generosos proventos financeiros, onerosos convites a palestrar em simpósios, congressos, colóquios e conferências onde a depressão e os seus incontáveis mistérios científicos fossem tema, o que, se de certa forma lhe cansava, de igual modo lhe deixava feliz, de maneira que, mirando em seu Lanço de algibeira a hora que ele marcava, e em ela estando à beira da sua próxima aula, convidou-me a acompanhá-lo, o que o fiz com invulgar alegria, e maior ela ainda ficou quando, já em plena classe, anunciou aos seus alunos que eu, doutora Desirée D'Anunciação, uma de suas melhores alunas em parcos anos idos, a partir de então, e sem delongas, passaria a ser sua professora auxiliar, nas disciplinas de saúde pública, notadamente aquelas voltadas para a mente, que ele ministrava em algumas das unidades da UFBa, o que, sem esforço percebi, foi uma nova muito bem-aceita pelo alunado presente, talvez até por ver em mim, tal não tão distantes as nossas idades, mais um deles entre eles, mais uma jovem entre os jovens, recuso-me sequer a aventurar pensar que o jeito em que me fiz bonita, vistosa, elegante, então, para aquele encontro, tivesse de alguma forma influenciado a receptividade, aqui e ali mais eufórica e visível por olhares pidões dos alunos machos e de disfarçado despeito das alunas fêmeas, sou modesta mas não sou cega, sei ser mulher.

DESIRÉE
a sexóloga que não sabia amar

Fiz-me mais discente que docente nesse primeiro e inesperado contato com meus futuros alunos; mais ouvi do que falei; a felicidade era grande, mas não o suficiente para deixar-me efusiva e saltitante diante da invulgar solenidade do mestre Norival Sampaio na gestão de sua cátedra; entretanto, ainda assim, licenças todas concedidas por ele, pude falar, economizando dizeres, do quanto me orgulhava em voltar às minhas passadas salas de aula, agora como modesta professora auxiliar de um venerável mestre, mais para aprender que para ensinar; os aplausos vieram sob forma de palmas, apoiados e muito bem; de novo, pude perceber, mais entusiásticos e efusivos da parte dos rapazes que das moças.

Antes de levar-me, o cavalheiro de sempre, até o saguão principal, cercado de colunatas de mármore, da velha Faculdade de Medicina, o professor Norival passou-me às mãos dois envelopes brancos, de papel apergaminhado de boa gramatura, encimados à testeira do alto à direita por discretas letras cursivas que estampavam o seu nome e os seus sobrenomes, antecedidos pelo título de doutor: um, endereçado ao magnífico reitor Roberto Figueira Santos; outro, ao diretor do Hospital Português da Bahia, Valdemar Furtado de Simas Belém; e dentro deles, escritos à mão, cartões que começavam, ambos, com Rogo ao preclaro amigo que...

E o Rogo, verbo em primeira pessoa do singular doutor Norival Sampaio, se fez chave e, antes mesmo de habitar entre nós, tal qual o Outro que se fez carne e que era de muita querência de um sempre assaz bem lembrado monsenhor de Todavia, abriu-me as portas para o começar de novo na minha Cidade da Bahia. Apego-me ao mesmo verbo, e rogo à Senhora Santana, que Giuseppe Galvani ma deu de presente na despedida, que me proteja e guie, amém.

Mulher de mais de uma pica, em uma só não fica: duplica, triplica, quadruplica, quintuplica...

Coronel Neco Mendonça, patente da extinta Guarda Nacional, embora, por óbvio, já sem os alamares ou os galões, mas do alto da sua quase centenária experiência, ao saber, por meio de fonte fidedigna, que a doutora Desirée tinha dado para o monsenhor Galvani.

Tratemos apenas por RH a fonte primária que por primeiro me contou da aventurosa passagem da doutora Desirée por Todavia, já que isso implica não só uma proverbial economia de letrinhas nesta arenga que até aqui já deu ocupação exagerada e basta a milhões delas (não me dei à perícia de contá-las, uma a uma; faculto aos mais curiosos fazê-lo!), mas também e sobretudo na diligência de tentar preservar, no quase impossível anonimato, seu nome e os seus tantos sobrenomes de descendente em linha indireta de nobres da Lombardia de Itália, até porque às tais horas o nosso saudoso e inolvidável RH já repousa, em sono eterno, entre os justos, creio, muito certamente puto da vida de tanto dormir, ele que amava mais que ninguém usufruir da noite para outros prazeres e regalias não encontradiços aos travesseiros; então foi esse RH que agora dorme, embora sem querer dormir, deveras, o sono dos justos, quem me contou da inteira saga da doutora Desirée D'Anunciação dos Prazeres, desde o instante em que, ainda recém-casada e com o marido Hélio a tiracolo, ela desembarcara em Todavia até os dias do depois, e que já não o são os de agora, estamos a tratar dos meados dos anos oitenta, quando, já solteira e livre de amarras matrimoniais ou

Fernando Vîta

outras de igual jaez, voltou a assentar a bunda, bem esculpida nas suas formas calipígias, em consultório médico de hospital, e a cabeça, privilegiada e plena de saber científico, na academia de universidade, deram-se por conhecidos sem delongas de solenes apresentações, ele, RH, corretor de imóveis de uma firma de nome Promov, posto em sossego, em manhã de sábado, na Cidade da Bahia, em aprumado estande de vendas, à espera angustiosa de clientes a quem vender apartamentos de dois quartos, sala, varanda e dependências de empregada, na Ademar de Barros da Ondina, perto da praia e de tudo o mais que ao bom viver se faz preciso; ela, Desirée, que chegou tão bonita ao estande, vinha de volta do banho de mar em Piatã, vira de um fusca amarelo de que já se fizera dona e motorista, ali mesmo ao pé do novo prédio, os apelos, cartazes e reclames coloridos da Promov: pare e compare, prove e comprove, melhor negócio é Promov para os que querem morar na cidade da Bahia, embalada a médica em sensual saída de banho atada em laço bem-dado pouca coisa acima dos peitos redondos e empinados no prumo certo, cabelos pretos soltos e molhados, por baixo apenas um biquíni amarelinho minúsculo, só ele, a encobrir tanta beleza de corpo moreno e salgado a sal do mar da Bahia, eis Desirée, riso esplêndido e franco em rosto de sábado de manhã, em frente a RH, curiosa de quadradas metragens, acabamentos de pisos cerâmicos, paredes e fachadas azulejadas ou revestidas com pastilhas vitrificadas, unidades disponíveis, vagas em garagem, existência de amplo *playground*, salão de festas e academia de ginástica, preços razoáveis e convidativos, sinais de entrada assimiláveis, intermediárias e variáveis prestações mensais supor-táveis, nunca se viu um RH tão prestimoso e detalhista perante tal promissora e belíssima cliente, não é sempre que Deus, só quando assim o deseja, prestimoso!, tarda mas não falha em

DESIRÉE

a sexóloga que não sabia amar

fazer quebrar a magistral solidão de um corretor de imóveis, em estande vazio de um sábado de sol, com o desembarque de um anjo dos céus, dono dessa candura única, que só aos anjos da sua maior consideração Ele costuma presentear...

... Ricardo Heleno, disse-me chamar-se este corretor de imóveis, um belo indivíduo de cara indiada, olhos azuis, inquietos e observadores; de Paternostro, ainda fez questão de complementar, aludindo a sua ancestralidade italiana a algum lombardo de Paternostro desgarrado que viera a deitar-se com índias tupis ou tapuias nos tempos da São Jorge dos Ilhéus capitania hereditária, os homens que daí se originaram – me disse, sorrindo ironicamente – primam até hoje por serem hábeis e astutos mentirosos, já as mulheres por adorarem por demais fornicar, então presumindo-me sedenta saiu-se não sei de onde Ricardo Heleno com uma garrafinha de gasosa Fratelli Vita, sabor pera, bem gelada, canudinho de plástico já adequadamente abrigado à garrafa, me fez sentar e ver croquis, plantas e tabelas de preços antes de me conduzir em visita guiada e a dois às várias dependências do edifício de nome pomposo e pretensioso, Mansão Princesa do Atlântico, culminando, ei-la!, com a chegada a um apartamento de número de porta um zero zero um, já decorado e mobiliado, justamente aquele usado pelos vendedores de sonhos concretos para melhor assenhorar o sonhador com o teto que haverá de um dia lhe abrigar o sonho de muitos anos, vista deslumbrante, veja, e ele, por trás de mim, quase a respirar, arfante e ousadamente, ao meu pescoço, fez abrirem-se, como num passe de mágica, cortinas e janelas de quartos, sala de estar e varanda para um mar azul anil de bossa-nova: "eis sua futura casa, Desirée; a Mansão será de todos os moradores, mas a Princesa do Atlântico, aqui, será a sua pessoa, única e bela...".

Fernando Vîta

... RH, contrato de promessa de compra e venda e caneta já às mãos, foi preenchendo os seus espaços e quadradinhos destinados aos dados todos da pretendente à aquisição do imóvel: Desirée D'Anunciação, médica de profissão, desquitada, nascida na Cidade da Bahia em tanto dos tantos de mil novecentos e tantos e quantos; uma quantia disciplinadamente poupada cobriria, à vista, o indispensável sinal garantidor da transação comercial, é da lei dos que vendem e dos que compram; umas e outras prestações intermediárias permeariam a quitação, a ser definitivamente quitada em longos quinze anos, com financiamento do BNH via financeira sólida de graça Casaforte; não, não haveria de carecer de fiador, os holerites de ganhos fixos da doutora já se faziam bastantes ao sucesso do financiamento, que ele, RH, cuidaria pessoalmente de agilizar, bastavam as cópias autenticadas deles e de outros papéis, e as chaves do um zero zero um logo estariam de posse e guarda da sua nova dona. "Assine o seu nome aqui embaixo, doutora Desirée, de próprio punho, da mesma maneira com que a senhora o firmou na carteira de identidade e nos cartórios onde dispõe de firma reconhecida...".

... Ricardo Heleno, promessa de compra e venda já devidamente assinada, falou-me por horas de sua vida: casado, pai de filhos, mas um liberal assim tido por direito de uso e frutos da liberdade de viver do jeito que gosta, nunca foi diferente e não o seria agora, homem já feito e refeito pelas muitas idas e vindas da vida, beirando uns poucos anos mais que os cinquenta que nem aparenta ter, então houve dele o gentil convite para o desfrute de uns chopes geladinhos e de uns .

DESIRÉE

a sexóloga que não sabia amar

acarajés e caldinhos de sururu bem quentinhos num empório pouco ali adiante, de nome Armazém e Bar O Popular; assim se fez e assim fiquei sabendo por Ricardo Heleno de Paternostro, a quem eu já estava a tratar tão-somente por Pater, que não é fácil a solidão sabatina de um corretor de imóveis, em um sábado de sol, em plantão de horas infindas, à espera de um freguês para lhe vender sonhos, já concretos em tijolos, paredes, tetos e portas, ou sonhos, puros sonhos, sob a forma de ilustrativos fólderes de papel em boa gramatura...

"... Não é moleza, não; saiba que não o é, minha querida Deisi!" (e agora, só de Deisi e querida já tratando a doutora Desirée, que o título de doutora e o seu nome inteiro já viraram, com o passar vago e célere das horas e dos chopes, meros e dispensáveis adereços verbais, de há muito usados, aqui e ali, apenas para enfatizar trechos da prosa animada e franca que se estabelecera a uma mesa, bem escanteada, de um Armazém e Bar O Popular, na arejada Pituba, lotado como em todos os sábados à tarde); foi assim que RH falou da inimaginável solidão de um sensível e tristonho corretor de imóveis, como ele, preso a um estande de vendas a contemplar o mar infindo e a enxergar, nele, todas as suas belezas, mas não potenciais clientes; contou dos seus filhos já feitos e da mulher tolerante, culta e bela que os dera ao mundo; do amor que os unia havia anos e anos e que haveria de os manter unidos para sempre, mesmo que aqui e ali ocorressem uns perrengues afetivos, "quem não os tem, Deisi amada?; em estando em casamento efetivo, você mesma já me os relatou os seus, não é mesmo?"; conversou-se de música e cinema; de poesia, somente um pouco, falou-se apenas de um

Fernando Vîta

parnasiano poeta Correa de Melo que poetara à médica num esconso de mundo chamado Todavia; do muito que por lá Desirée aprendera, notadamente como sexóloga e psicóloga, no trato com seus clientes tão vários, e ainda assim únicos, em suas imperfeições de sexo e juízo; falou-se de um casto e santo monsenhor Giuseppe Galvani, que lhe foi tão pai e pastor em momentos difíceis que passara em seu antigo pouso; de um certo gato Bangu; de uma incrível e safa ajudante, a Olinda Helena, e do seu "cacho", o Dega, jogador de bola; de uma Mariazinha pretinha e fiel a caminho da Cidade da Bahia; do rico acervo de prontuários médicos que herdara de um tal doutor Fonseca; falou-se de tudo, antes que os primeiros beijos fossem trocados, sem a carência de contratos ou termos garantidores, ainda no Armazém e Bar O Popular; a tarde já se ia, de sorte, muita sorte para Desirée e RH que ela ainda não se findara de todo, para dar vez à noite com os encantos todos da lua dos amantes, e eles já se achavam de volta ao começo de tudo, o estande de vendas do Edifício Mansão Princesa do Atlântico, melhor negócio é Promov, está agora muito mais que provado, o um zero zero um decorado para vender sonhos está a apenas dez andares de distância dos velhos paralelepípedos da Rua Ademar de Barros da Ondina, os elevadores novíssimos a postos para subir ou descer; as chaves que serão de Deisi ainda estão com RH. E eles subiram, de mão dadas, mas não atadas pelo destino...

...Ficamos, eu e Pater, a maravilharmo-nos, a encantarmo-nos, os dois, com o tudo que se nos ocorrera em tão pouco tempo de um único e exclusivo sábado. E se na epifania de um outro certo e exclusivo sábado, atribui-se a Deus ter posto o ponto-final na sua obra de criação do

mundo, habilitando-se, o Poderoso, ao mais que merecido repouso sagrado do domingo, que pequena não lhe fora a empreita, o mesmo faço eu, agora, pondo um ponto-final nesses meus prontuários de lembranças tão caras. É já domingo chegando, e eu preciso igualmente descansar.

> E bom psicólogo foi quem disse que, para um casamento feliz, é necessário unir um homem surdo a uma mulher cega.
>
> Montaigne.[9]

---

[9] Por intermédio de quem, penhoradamente agradeço a tantos quantos – filósofos, poetas, mestres ou malucos de modo geral, portadores ou não de carteirinhas ou de diplomas que oficialmente os titulem – pela sempre sábia contribuição que trouxeram à minha reconhecida ignorância, vezes tanta abusadamente irresponsável e ridícula.

Quando RH, tempos atrás, em mesa não tão escanteada assim do mesmo tradicional e pranteado Armazém e Bar O Popular, me contou de Desirée (o velho armazém e bar dos espanhóis da Pituba, tanto quanto RH, já se foi; o primeiro faliu, fechou, virou farmácia, um pouco antes que o segundo, cujo fígado, no seu próprio dizer, "batera biela" de tanto mau uso e não resistira a um transplante. Meu eterno pranto por ambos, reconhecido que sou. Doutora Desirée, para o maior bem da medicina, da cátedra que ocupa e dos apreciadores do belo, continua viva, bonita e sadia, graças a Deus), deu-me todos os pormenores do havido como se o abençoado corretor de plantão naquele sábado de sol em solitário estande não fosse ele, e sim um outro felizardo em vendas e amores, mas contam as lendas que emprenham as mentes, enriquecem as narrativas e dão ousadia a quem as conta que foi ele sim, o RH, não a fonte primária da memória, ele foi ela própria, a memória fabulosa, viva e pulsante, num tempo de antes muito melhor de se viver na Cidade da Bahia que os de agora, ancho de tantos bares tão célebres quanto o Armazém e Bar O Popular, quanto de *RHs,*

Fernando Vîta

que faziam a arte de viver ser mais alegre; e consta que coube ao mal remunerado vigia do estande da Promov espalhar, à boca larga, testemunha solitária do que haveria de se dar naquele sábado, que todos os que moravam, então, na Ondina, arredores do Rio Vermelho, Amaralina e Pituba tiveram ouvidos para ouvir gritos entusiasmados e felizes de uma mulher, em êxtase de gozo múltiplo, a pedir, apelar, clamar a um certo Pater, que por caridade pusesse aquela cama de apartamento decorado em plena rua, para que todos pudessem apreciar e aprender como um macho fode uma fêmea; e há testemunhos de vivos, como houve de outros que já se foram, não da cama assentada à Ademar de Barros da Ondina com um par a se amar sem peias, mas dos gritos e sussurros, sim.

Nada testemunho, conto o que ouvi e já me dou por pronto.

DESIRÉE
a sexóloga que não sabia amar

Olinda Helena me manda carta e me dá notícia de que o gato Bangu, subitamente desaparecido do meu apartamento em Ondina, foi visto de seu caminhão por José da Encarcadinha a caminhar tranquilamente pela margem esquerda da estrada de rodagem, ali pelas imediações dos vastos laranjais de Cruz das Almas, o fugado Bangu de sempre, na proa de Todavia.

Cidade da Bahia, Outono da pandemia.
Praia de Guarajuba, Verão da mesma peste.

LEIA TAMBÉM
DO MESMO AUTOR

CARTAS ANÔNIMAS
**Uma hilariante história de intrigas,
paixão e morte**

Em uma pequena e desimportante cidade chamada Todavia, o único diferencial de seu povo é o fato de os seus moradores passarem o tempo enviando cartas anônimas picantes, cheias de intriga, uns para os outros. A história começa a pegar fogo quando um todaviano que se autodenomina O Sedutor se apropria de um poema de Olavo Bilac para conquistar uma bela viúva cobiçada por todos. Nas cartas, encontramos o passado, o presente e o mais íntimo dos moradores de Todavia com pitadas de humor, virulência e maldade. Um livro divertidíssimo escrito com fina qualidade literária.

LEIA TAMBÉM
DO MESMO AUTOR

O AVIÃO DE NOÉ
Uma hilariante história de inventores, impostores, escritores e outros malucos de modo geral

Em Todavia, cidade do interior baiano, tudo pode acontecer, e acontece. Nos anos 1950, começando com uma explosão durante uma missa em louvor à Santa Rita dos Impossíveis. Uma fábrica de fogos pega fogo, mas todos acham que o barulho é devido às comemorações pela vitória do Brasil contra a seleção sueca. O responsável: o porco de um enfermeiro. Um inventor improvisado acredita que, com os restos de sucatas que vai encontrando, poderá construir um helicóptero, o "Águia de Todavia", e até marca o dia para seu lançamento. A geringonça voará? Este e muitos outros relatos desfilam numa sucessão de acontecimentos vertiginosos na cidadezinha imaginária baiana criada pelo jornalista e romancista Fernando Vita, que compõe um mosaico debochado, escatológico e cheio de aventuras populares com tipos folclóricos neste seu terceiro livro, depois de "Tirem a doidinha da sala que vai começar a novela" e de "Cartas anônimas".

LEIA TAMBÉM
DO MESMO AUTOR

REPÚBLICA DOS MENTECAPTOS
Uma hilariante história de mandriões, cortesãs, espertalhões e certos valdevinos de modo geral

Neste romance, *República dos Mentecaptos*, Fernando Vita está ainda mais divertido. Como nos livros anteriores desse escritor baiano que rende tributos a João Ubaldo Ribeiro e Fernando Sabino, a história se passa em Todavia, uma cidade imaginária, espécie de Macondo de García Márquez no Recôncavo da Bahia. Tudo ali parece absurdo e ao mesmo tempo real, com personagens e episódios fictícios e outros verdadeiros. O prefeito megalomaníaco e admirador de Antônio Carlos Magalhães, autodenominado AMB, quer transformar o estado em República da Bahia e fazer do seu minguado município o Estado de Todavia. Ele criaria até uma moeda especial, o aceeme – um acarajé recheado custaria 5 aceemes, e um coco gelado valeria 1 aceeme e 20 aceeminhos. Um personagem garante que andar de costas faz bem para o coração. Outro diz ter o coração de banana mole, sofre e chora à toa. Rir é o melhor remédio. Ele está nas mãos do leitor. Saúde! Com boas gargalhadas.

LEIA TAMBÉM
DO MESMO AUTOR

**TIREM A DOIDINHA DA SALA
QUE VAI COMEÇAR A NOVELA***

Tirem a doidinha da sala que vai começar a novela tem seus segredos. Os dois nomes doidinha e novela, até mesmo à primeira leitura, se atenta, rompem sutilmente a secura da frase, sugerem uma inesperada ambiguidade - a saída de um dos elementos, o começo do outro, despertam curiosidade do leitor que quer saber mais. O romance é curto, construído de contos - crônicas breves, independentes, que asseguram a continuidade da história através da presença de um narrador principal. Inaugura-se nesses caminhos por necessidade íntima do projeto de sua ficção, muito pouco pelo tsunami de microcontos na internet, que já aparecem na edição de livros. E como toda obra de ficção , esta repousa sobre duas vigas mestras: os personagens e a língua.

*Edição impressa esgotada. Disponível apenas em e-book.

INFORMAÇÕES SOBRE A
GERAÇÃO EDITORIAL

Para saber mais sobre os títulos e autores
da **GERAÇÃO EDITORIAL**,
visite o *site* www.geracaoeditorial.com.br
e curta as nossas redes sociais.

Além de informações sobre os próximos lançamentos,
você terá acesso a conteúdos exclusivos
e poderá participar de promoções e sorteios.

geracaoeditorial.com.br

/geracaoeditorial

@geracaobooks

@geracaoeditorial

Se quiser receber informações por *e-mail*,
basta se cadastrar diretamente no nosso *site*
ou enviar uma mensagem para
imprensa@geracaoeditorial.com.br

GERAÇÃO EDITORIAL

Rua João Pereira, 81 – Lapa
CEP: 05074-070 – São Paulo – SP
Telefone: (+ 55 11) 3256-4444
E-mail: geracaoeditorial@geracaoeditorial.com.br